KB058011

九曲

일러두기

1 —— 이 시집의 원문은 저자의 수정修正과 가필을 거쳤다.

2 —— 원문에서 한자로만 표기되었던 글자에는 음을 병기하였으며,
　　　의미 소통에 문제가 없는 부분은 한글로 바꾸었다.

3 —— 한글 맞춤법, 외래어 표기법에 맞지 않는 부분들은
　　　저자의 의도를 최대한 살리는 것은 원칙으로 삼되 약간의 수정을 거쳤다.

4 —— 본문 중의 •표는 독자들의 작품 이해를 돕기 위해 편집자가 가려 뽑아
　　　일일이 그 내용을 찾거나 번역하여 책 끝에 부기附記한 '편집자 주' 이다.

김구용 문학 전집

② —— 연작장시

九曲

솔

九曲 구곡

기른으로
헤멘
다.

옥수수
밭으로
참으러

그와
그녀는
맞잡은
그와
그녀

^蟲蟲
蟲
걸으
배
航기
와이
해서이오

어디서
빌으로
파
도
소
리
가
간
다

비의
내음
기른
빛
헤맨
다.

혼은
그와
꽃잎은
그녀
와

씨앗
마다
宇宙
가
박혀
있었
다.

대
비구
니로
기다리는
오기수
수는

高家
玄用이은
하고
종이로
있다.

九
曲

1곡一曲

조선 자기磁器를 눈[眼]으로 쓰다듬으면
어머님의 검버섯 핀 손이었네.
추억은 선반에
여러 가지 달덩이로 놓인다.
"청이 한 가지 있네.
조그만 신라 불상을 나 주게나."
친구가 가져간 자리는 비었으나
나는 창에 남아 있다.
도움도 빌릴 수 없는 곳
자아는 나와 함께 있다.
친구의 귀는
날개가 작용하듯
아니, 별들이 모여서 노는 정도로
숲 속의 천문대만큼
조그만 신라 불상에서 열렸는가,
양심은 한사코 관에 눕지 않으려
몸은 분명히 움직인다.

차별은 빛처럼 없어

언어를 지우면서 살아난다.

통금이 넘도록

화투를 박양 방에서 하다가,

두 대학생은 하숙집으로

질러가는 다리를 건넌다.

깜깜한 복덕방 앞이었다.

홀연, 팔이 명령 뒤에서 나온다.

총은 무작정 달아나는

두 대학생을 쐈다.

색지色紙들로 붙었던

창들이 낙엽지면서

빙글빙글 육박해온다.

누가 알까.

하나가 맞았을지 모른다.

둘이 다 맞지 않았을지 모른다.

달아난 방향이 달라서

서로가 모르는지 모른다.

부상한 친구를 안고

용하게 숨었는지 모른다.

별들은 총소리를 듣지 못해서

전신주들이 슬며시 일어선다.

둘이 다 맞았대도

무슨 까닭이 있지는 않을 것이다.

둘이 다 안 맞았대도

필연적 결과는 아닐 것이다.

붙들렸대도 사실 이후이다.

죽었대도 사실 이전이다.

강도는 주머니 하나 털지 못하고

이튿날 경찰에 잡혀왔다.

"공포를 한 방 쐈는데

다 없어졌어요.

그게 참말입니까.

그럴 리가 없는데요."

근시近視인 절름발이는 정직하였다.

그날도 호출을 받고

박양은 한낮의 침대에서 일어난다.

"그가 위독한 거나 아닐까."

그래도 내색하지는 않았다.

"난 이렇게 살아 있는 걸."

그녀는 가는 도중

입 언저리에서 일부러 웃는다.

출두한 박양은

여러 사람들에게서
딸기밭 무늬의 의상을
주목받으며
같은 말만 되풀이한다.
"둘은 나와 화투를 하다가
통금 뒤에야
결판을 내고 돌아갔어요."
증언할 뿐, 방장房帳을 걷어
내심을 보여주지는 않았다.
가면은 언제나 아름답다.
언제나 가면은 예의바르다.
벽돌 벽의 덩굴들이 들여다보는
법정 안은 "합법적으로 판결하였다" 며
대중 식당의 문을 연다.
믿어야 한다, 조그만 사건 뒤에도
모순들에 의해서
해는 날마다 새롭다는 사실을.

일 초는 그림 안으로 가는데
초만원 버스 안에서
일 초는 무한한데
무한은 계속 지나가는데

사고만 나면 잊는 것을

의식하는 무의식 사이로

반사하면서

절벽絶壁한 중심가를 달리는데

땀 냄새는 불안을 외면하면서

무사히 실려가는데

낡은 발동기 소리를 들으며

자기 아닌 남들처럼

서로가 보는데

누구나 말을 않는데

세상은 묘하고 재미있었다,

지나가는 일 초와

맞이하는 일 초 사이의

자아에서.

오늘도 생각하나

맹자盲者의 태양을

아직은 못 보았다.

찾아 헤매일 따름

불빛 구슬 안에서

하늘만큼 열리는

노래 한 송이를

아직은 못 만났다.

그는 동시에 좋아한다,

돈 많은 노처녀와

얼굴이 고운 불구녀不具女와

그리고 마음씨 착한 유부녀를.

하나의 세계는

세 여인으로 이루어져 있었다.

선택하라, '무엇' 을.

주저하는 앞에

과오가 길을 연다.

지난날을 돌아보며

앞날을 계산한다.

나를 벗어날 수 있음은

언제나 지금인 것이다.

너는 황금빛 가로수 사이로

은행을 오가는 전차들이다.

너는 풀들이 파도 치는 폐허이다.

약속 시간이 지난 다방에서

너는 기다리는 안정安定이다.

너는 책을 꽂아두고

제자리로 돌아온 거리距離이다.

너는 철사鐵砂 항아리를

소리 내어 웃기는 영산홍이다.

열아홉 살 난 발가숭이를

끼고 누웠으나

너는 매춘녀의 부모가

몰아쉬는 한숨이다.

희한한 일은 아니다,

죽은 사람이 눈뜨는 것은.

부화한 열대어가

떠돌이별로서 노는

구름 사이로

그는 얼굴을

유리 밖으로

내밀어 굽어본다.

그쪽에서 사람들이

썩은 허공다리 밑을 지나간다.

저쪽에서 사람들이

잡초 밑에 뱀으로

뻗은 차단선을 넘어온다.

혈관은 접맥接脈하여

거리距離가 없어진다.

그들은 서로 끌어안고 음식을 권한다.

함께 웃으면서 춤을 춘다.

각색 눈들은 놀라

"야만인이라"고 방송한다.

해외 기사들은

"과학을 믿지 않느냐"며 나자빠진다.

사자死者는 다시 눈을 감는다.

꿈에서 깨어났을 때

먼지가 여전히 날으는 어항 안에서

그는 혼자 누워 있었다.

"자고 가세요."

인형은 금속성 빛깔로 청한다.

구름 사이 죽음의 세계는

황금빛으로 달린다.

그는 기성 관념既成觀念을 버린다.

쇠 속을 흐르는 피에

별들이 날은다.

그는 불사不死한다.

춤추는 바윗돌이며

사통팔달四通八達의 날개이다.

흔히 말하는 행복과는 달라서

슬프지 않다.

그저 노래한다,

기와의 맥박으로써.

합승차가 움직이는 바람에

달 한가운데 섰던 전신주는

십자가가 되어

창에서 내려진다.

보십시오, 웃으면서 오는 보슬비를

청소차가 잔뜩 버린 곳에서

자라 오르는 미나리 떼를

아이들이 밤이면 몰래 안아가는

연밥송이를. 누구나

정상적인 발전을 한다고 생각합시오.

손을 시간에 찔러넣어

미지未知를 잡아

본질에 접근하는 과정이라고

생각합시오.

성화聖畵는 가슴에 손을 얹으며

양회洋灰 천정을 쳐다본다.

비판이 끊어진 곳만 열린

철창 안에서 성화는 나오지 않아

철창만 엿듣는다.

연기와 도박과 술로 뻗은 밤 골목이

녹유綠油의 털과 웃음을

과육果肉 빛깔 벽에 반영하면서

자학하는 낭비浪費들을

방에 벌여놓는다.

손[手]은 어디서 벗어나며

시계의 뻐꾹새는

어디서 암컷을 호소하는가.

지린내 나는 길에

사나이가 서서

재료들을 사오는 여자 미용사에게

"너는 돌았다"며

등[背]을 숙인다.

하수구에서 넘쳐난 행동들이

백화점 밑을 돌아 나오며 시위한다.

쥐는 실내에 부풀어오르는

제 그림자에 포위되어

구멍을 찾아 미쳐 날뛴다.

그곳은 그것만이 아니다.

그곳은 그것만이 아니다.

의사는 품삯꾼을 왕좌에 모셔놓고

"절대로 안정해야 한다" 며
정중히 충고한다.
종일 누웠거나 일하거나
시계 바늘은 한가운데서
합치기 직전이었다.
장미 빛깔 새벽에야 잠이 든
시험 준비생의 기계충 머리,
일곱 살서부터 일생 동안
아침부터 초만원을 타려 늘
지천至賤히 굴어야 하는데
"절대로 과로하지 말며
충분한 영양을 섭취하라."
의사는 엄숙히 속삭인다.
소매치기도 없는 농촌을
신문은 '이 이상 움직이지
않는다면' 으로 취급한다.
명륜동 가게에서는
일가족 자살 기사를 읽던
주인이 올드 미스를 영접한다.
"카네이션과 금잔화 말씀입니까.
알겠습니다. 예, 팔백 환입니다.
거슬러드릴 게 없는데요.

담배 가게까지 곧 갔다오겠습니다."
바람은 밤비와 깊어
가게 주인은 바위 속으로 사라지는데
전차는 유리문에
녹슨 금붕어로 두번째 지나간다.
늦게야 퇴근했던 올드 미스는
신경질의 가시를
성낼스럽게 견디며
듣는 사람도 없건만
"이건 참 곱기도 하네."
유리문을 등지고서
숫제 몸을 숙인다.
그녀는 촛불을 가리면서
파블로 루이스 피카소의
반지가 된다.

"잎들의 나라에는 궁宮이 있소.
암석은 변하여 물로 흐른다."
대지는 극락인데
하늘은 지붕과 산등성이마다
국민장國民葬으로 널려 있다.
여러 사람들에게서 들었다.

"살기 위해서는 무슨 짓도 옳다."

말은 같으나 장소와

내용은 달랐다.

"잎들의 나라에는 궁이 있소.

암석은 변하여 물로 흐른다."

그럼 어떻게 한다는 말씀인가.

당신의 화술은 참으로 묘하다.

육체가 없는 말씀을 믿어 좋은가.

참으로 그렇게 말할 수가 있을까.

그는 언어가 시작하기 전에서 움직인다.

그는 언어가 끝난 곳에서 노래한다.

젖빛 하이히일을 신은 다리가

가각街角의 우체통 앞에

지난날로서 왜 서 있는가.

그녀는 달빛에 눈을 감는다.

'잠자는 미녀'는 거울 안에서

그의 셋방[貰房]으로 운반되었다.

그는 생후 처음 맞춘

봄 코우트를 벗는다.

가슴은 때 절은 내의처럼 정다웠다.

삿대를 거울에 찔러넣자

모발은 몸부림친다.

포풀라 나무는 즐거이 불타오른다.

국립도서관은 무덤을 연다.

책들이 이구동성으로 속삭인다.

"한평생은 어려운 일이다."

표정에 이르러

석화石化한 뜻에서

광명이 생겨나

마룻바닥에 스며든다.

그래서 사람들은

두꺼운 옷을 벗듯이

그러히 평범하고 싶나이다

자아여.

이러히 과오는 많나이다

자아여.

새로운 우주 설계가

무한과 합친 개안開眼을

소형 바구니에서 듣는다.

갈피를 잡을 수 없는 나날

어수선한 생활에서

무엇을 단정하는가.

나는 그

그는 나,

햇빛마다 생긴 생명을

서로는 싸우는가.

강조하는 옷을 벗어 건다.

사로잡히지 않아야

문은 열릴 텐데,

본바탕으로 들어서야

도덕과 철면피와

영광과 서약誓約에서 벗어나

움직이는 화원花園에서

서로는 상대로부터

'자체'와 만날 텐데,

도시는 동시에

너무나 많은 연기가 쌓인다.

도시는 동시에 너무나

많은 손ㆍ발이 말한다.

도시는 동시에 너무나

많은 입이 일을 한다.

도시는 동시에 너무나

많은 시간으로서 침몰한다.

"누구야."

"안 보여요."

목숨은 형무소에서
천당까지 번식한다.
광화학光化學은 녹엽綠葉의 폐肺,
신도 악마도 아닌
향내가 번식한다.

약속 시간이 지났는데
그녀는 비 오는 문을 열고 들어선다.
"여지껏 누구에게도
말한 적이 없는
내용을 들어주세요.
당신이 가장 위대하다고
믿는 것에 걸어서
약속해주세요.
당신에게나 저에게나
잘못을 저질렀다는
그런 기억을 남기곤 싶지 않아요."
그는 웃음을 참느라
심각한 표정을 짓는다.
그녀의 내용이란
누구의 가슴을 열어도
어두운 사정事情에서 빛나는 별들,

그녀는 "천만번 생각하고

천만번 용기를 내어 거절합니다.

모든 일은 잘될 것이에요" 하고

무성한 가리마 길을 숙인다.

강은 그녀의 생각과 몸

사이에 흐른다.

강은 아름다운 엽맥성葉脈性 화상火傷을

그의 몸에 입혔다.

그녀는 비를 맞으며 버스에 탔다.

그는 그 지점에서

비를 맞으며 전차에 탔다.

서로는 반대 방향으로

떠나가 헤어져 살지만

한 태양 아래서 생각한다.

우연은 계속

십자가를 인쇄해낸다.

의외는 다방

'월세계月世界' 안팎으로 번진다.

심각하면 곤란하니

미소나 날개에 써서 보낼까.

자기를 부정하며

거리距離를 없애면서

스스로 충만한다.

"그런 자격은 나도 있소.

천사는 신을 떠나

가난한 창문에 와서

늘 나를 찬송하오."

"그래요, 완전할지라도

그것이 전부는 아니겠지요."

그녀의 기쁨은 수화기受話機에서 흐른다.

무직無職 청년은 여인형女人形 밑에서

양담배를 피워 물며

늙은 아버지에게

"웃지 맙시오.

이것도 보호색이랍니다" 하고

다방을 나간다.

종극終極처럼

시민들은

시초始初가 없었다.

산을 바라보면

유년 시대는 영화처럼 다시 시작한다.

성장은 않고

시간에 따라 배경만 다르다.

다박머리 어린이는 절간 큰방에서

노승老僧과 맞바라본다.

눈보라는 두 사이에서

포효한다.

원정수미圓頂垂眉는

화등잔만한 눈을 뜨더니

어린이를 노린다.

"길은 있었다."

다감한 어린이는

유월의 숲 속을 걷는다.

"저것 봐라.

백액대호白額大虎가 나오는구나."

은빛에 산울림하는

노승의 두번째 시선이었다.

어린이는 본다.

송락松落을 드리운

깎아지른 시련에서

수리가 소리 없이

구름으로 흡수되어

까맣게 사라진다.

폭풍은 맹수의 털 모양으로 나부낀다.

어린이는 달아나는데

범과의 거리距離는 역시 그대로였다.

사슴밥잎들이 좌·우로

무섭게 지나간다.

젖빛 안개는 어린이를 감싸

물소리가 점점 높아진다.

피안彼岸은 안개에 숨어 있었다.

노승은 외친다.

"큰 나무가 가지를

강 위로 뻗었구나."

어린이는 나무 위로 열심히 올라간다.

접시만한 해가 구해나 줄지.

범도 뒤따라 올라온다.

잔가지들이 해 앞에서 끊어진다.

"어쩔래."

노승의 호령 안으로

시뻘건 포효가

뒷덜미에서 덤벼든다.

어린이는 강으로 뛰어내린다.

"강물은 빙빙 돈다.

굵은 용이 불을 토하면서

솟아오른다.

어떻게 할래."

온 산속의 백설白雪은 노승의 세번째

물음에서 번쩍 하였다.

삼함三緘·을 등지고 앉았던

어린이는 그제야 웃는다.

"그런 것들이 없을 때는

어떻게 할까요."

쓰러진 어린이는

치고 차는 노승을 막지 못해

산아産兒의 울음을 터뜨린다.

이유 없이 맞을 때마다

천리 바깥 부모를 부르는

산울림이 "왜 때려" 하며

노승을 포위하는 꿈을 꾼다.

어린이는 어른이 되었다.

깊은 산이 셋방[貰房] 벽에

수시로 솟아오르면

현재는 "어떻게 할래" 묻는다.

그는 자문하고

스스로 미소한다.

언어를 잊고 있었다

직장에서도

산처럼.

본능은 기계가 되어

전기電氣 꽃 복도를 걷는다.

문이 없는 육체가 권유를 받는다.

무덤은 바다를 듣는다.

밤은 '가난한 장미의 사연'을

휘파람 불면서

여당 사진을 야당 출마

삐라 위에 붙인다.

소년이 팔다 남은 신문을

안고 인도人道에 드러눕는다.

구두들은 비켜간다.

자개 경대 앞에서

눈썹을 낚시 모양으로

꼬부렸던 마담의 손이

파출소 책상을 치는 서슬에

번쩍 빛나는 황금 팔찌,

"사내란 죄 도둑놈들이야요."

비[雨]는 자유를 속삭이면서

끓는 개장국 솥으로 떨어진다.

세상을 모르려 애쓰지만

어떤 결과가 올지 아는가.

총소리가 밀려드는 흉벽胸壁은

구멍을 하늘에 뚫었다.

죽음이 전등불로 켜지면서

유혈은 해독할 수 없는 제목이었다.

국민학교 담벽에 기댄 시체들과

쓰레기통을 안은 시체들이

아침을 사이에 두었다.

밤을 새운 그들의 눈은 흙이 가득

이[齒]는 대열을 창 사이로 짓는다.

막幕은 단색

뒷골목에서 올라

젊은 과부와 노련한 인쇄소장은

식탁을 사이에 둔다.

그들은 입 실랑이를

하면서 대사臺詞를 버린다.

진짜 싸움을 분장扮裝 그대로 한다.

관중은 돌아가지 않고

화염의 춤을 춘다.

무대는 역驛을 지나 바다에까지

배우와 관객의 한계가 없다.

손[手]은 초점을 역사

이전으로 들이대지만

일기는 색맹 검사책

조각들을 철근에 붙이고

고층高層을 완성하였다.

너는 담배 파이프를 물고

계단을 내려오며

안계眼界를 떠받으며 쓰러지는

가축들의 몸짓을 본다.

병瓶은 입을 닫고 대변한다.

'아리랑'은 때에 따라

의미가 다르다.

'아리랑'을 변화에서 듣는다.

그는 타인들에게

새들이나 와서 노는 수목이었다.

어느 나라 고성古城이라든가,

또는 겨울 바닷가에서

가게를 지키는 이국 소녀의

눈동자라든지,

그가 모르는 일에도

누구나 햇빛이었다.

"기가 차서…… 없는 오매야."

강이 모래가 날으는 눈[眼]에 휘어든다.

신념을 모시는 길이 산보다 가까웠다.

잎사귀들은 눈물 가닥마다 핀다.

나팔꽃은 눈물 방울마다 핀다.

밤은 혼자 자정을 넘는다.

대답 없는 위치에서

기도를 위한 불을 밝힌다.

빚에 쪼들린 그는

부러움이 없는 곳에

만년필을 놓고

안경을 때때로 닦는 버릇이 생겼다.

하늘로 뻗은 도로를 본다.

신록은 점철點綴하던 악장樂章을 멈추어

썩은 바퀴가 파도를 넘는다.

그의 노래는 맹자盲者의 미소

남이 못 보는 풍경에 들어선다.

그림자는 일어서서

그를 친절히 부축하며

색채가 내부로 안내한다.

날개는 비상飛翔이 방향이었다.

방향이 없는

음향은 건축되고

공간이 체조할 때마다

과실들은 주렁주렁 열렸다.

총소리에 박살이 난 거울,

창고 안은 부서진 얼굴들이었다.

각형角形으로 벽에 그림자진

그녀의 수면은

고도孤島의 선인장의 노래를

듣는 소라 껍질,

책상 너머 죽음으로 집중하는

바다가 열린다.

"무엇입니까."

"아직 안 보여요."

투명한 생명을 세운다.

뿌리로 통하는

도시의 불들이

눈을 부릅뜬다.

입술은 그녀를 찾으며

손이 그의 머리를 쓰다듬는다.

풀리지 않는 반사反射,

빛은 뒤엉킨 안팎에서

종소리를 편다.

기계는 아픔에서

아름다움이 짜여[織]진다.

땅바닥의 성냥 한 가치를 줍게.

"무엇을 기다리는가.

이미 있는 것을."

나그네는 마시다 남은 사발물을

불두화佛頭花에 부어준다.

그는 기존의 노래,

찾기 전에 와서 있었다.

그녀가

눈동자 없는 조상彫像을 돌아보듯이

조상은 머리를 돌려

제 어깨 너머로 본다.

세상은 슬프지 않았다.

모두는 죽어 있었다.

바다 속의 시체가 신문지에서

대합실로 걸어 나온다.

바다는 무질서에 감겨 바퀴로 돈다.

그러나, 봄은 씨앗을 잃어

밤이 달리는 열차를 덮는다.

그는 흔들릴 뿐,

어느 곳을 지나가는지 알 길이 없다.

"이제 나는 짝이 생겨

그녀도 혼자는 아니다."

그는 엽서를 다녀온

그녀에게로 쓴다.

한 그루 나무도 없는 도시에서

증오의 다리[橋] 위로

분노가 벽을 향해 달리는데

고장난 신호불을

소란과 연기가 휩싸버린다.

피를 뿜는 기적소리,

하수구에 넘치는 사람들이

일시에 적연寂然하였다.

"벌써, 죄에 감사 드릴 시간입니까.

우리의 죄에 감사 드릴 시간입니까."

불은 불을 두려워 않아서

유치원은 얼굴을

노처녀에 묻고 소리 내어 운다.

고함과 고함은 치솟지 않아

머리들과 머리들이

진열창에 기름으로 흘러내린다.

발[足]들은 입[口]을 벌린다.

소년은 옆 골목으로 달아나는데

총소리가 등뒤에서 연신

모래와 핏빛으로 번진다.

수백만 개의 해가

전선마다 걸터앉아 굽어보는데

쇠[鐵]가 덩굴진 곳마다

벽은 열리면서

함성·화염·총성·투석

유혈·절규가 쏟아진다.

머리카락들은 길을 묻었다.

죽음들이 뚫고 들어와서

이상한 몸짓으로 웃는다.

비둘기 떼는 총구멍에서

날아 나오지 않았다.

소파 수술을 받던 처녀의

신음이 과거에서 달려 나와

실내를 덮어씌우자

상아 물부리들은 벌벌 떨었다.

앞이 막힌 백포白布와 피와

초각秒刻이 열 지어 지나간다.

수면 부족인 '무기와 생각'을 위해

그는 지붕 위에서 흰 달이 중계하는

영산회상靈山會相을 녹음하였다.

새장 안의 종달새는

달아나는 순경들을 노래한다.

소매치기는 군상群衆들 사이에서

소매치기하는 친구들을 보았다.

화성암火成岩으로 된 시간이다.

시체 사 구四具가 서서

부귀를 전송한다.

박수 갈채를 받으며

막은 내렸다.

지워지지 않는

허무와 피로.

그는 기다린 그녀를 영접하였다.

죽은 젊음들이

해를 낙엽에서 캐내어

가마에 싣고

나무가지로 오른다.

그녀는 보았다.

가면과 계산의 문명을

계율에 갇힌 다혈증의 복음을.

이상한 소리가 머리 속에서 나온다.

상처는 다시 흔들리기 시작하였다.

그러면 숨바꼭질하는

아이들까지가 도마[俎] 위에 눕고 만다.

산 너머에서

생각 한 번 빗나가면

죄다가 등을 십자가에 붙이고

쓰러질 어장漁場.

언제면 잊을 수가 있나.

그래 다른 방법은 없는지

누구를 위해선가

담배를 피다가 시계를 본다.

단정 않는 노력이 과연 길을 열까.

망원경에 들어온

한 점 등심燈心도 꺼져

어둠은 생선들을 소금으로 얼어붙인다.

"그런 생각일랑 버립시오.

당신이 진실로 생각한다면."

어차피 너는 남들의

싸움에 쓰러질지 모른다,

바로 출구에서.

목을 전기줄에 맨 도시.

비누빛 넥타이는

먼지 낀 창에서

턱을 숙인다.

생각들은

눈을 감고 내다본다.

움직이는 손가락을 감사하라.

수도꼭지에서 흐르는 소리는

누구를 위해서가 아니다.

부정으로써 하늘만큼 긍정하라.

부정으로써 하늘만큼 긍정하라.

움직이는 손을 감사하라,

밀감蜜柑을 위해서.

보여다오, 무고無故보다 더한 즐거움을

보다 더한 평화를.

그런데 그들은 어디에 있나.

잎들이 불타다 남은 건물에

다시 무성하였다.

"때가 오면

한 열 달쯤 앓을 생각일세.

어머님의 신음으로

찾은 나를 보답하고

떠나서는 만나야지."

칠보七寶˙는 사월 초파일 밤에 꽃피지만

자성自性은 항상 밝지만

꽃잎이 지는 철조망에서

빗물은 내일을 창조한다.

"전 보람을 느꼈어요."

"난 좀 쉬어야겠네."

차별 없이

강산에 단비[甘雨]를 뿌리는

조선 자기磁器,

오자誤字를 건너간다.

언제나 만족하기는 아직 이르며

언제나 절망하기는 너무 빠르다.

언제나 그는

수목樹木으로서 자기自己를 씻는다.

"왜 비명非命에 갔느냐"고 묻지 말라.

한 목숨일지라도

수많은 우주가 없어진 것이다.

책은 입을 다문다.

젊음들은 내용에 쓰러져 있었다.

보이지 않는 곳에서

금오金烏가 날아와

눈망울을 파먹는다.

돛 폭은 떨어져

얼굴을 덮는다.

윤창輪唱은 지평선에

십자十字를 세운다.

"죄명을 일러다오."

골목마다 조각난 하늘.

부인夫人은 썩은 감자를

놓고 남편을 돌아본다.

약한 아첨을 질시하지 말라.

먹는 음식은 하루에 세 끼

한 벌 이상 못 입는 옷,

머리를 가난한 사랑에 숙인다.

꽃에 감사하려고

가을은 낙화落花가 없었다.

신을 두려워하라

신의 질투는 무섭다.

어둠에 밝아오는

그 죄명을

아무도 모른다.

차창은 달린다.

오대령吳大領은 바깥을

가리키며 이야기한다.

44

외국 군인 조온은 애정을 판板장 너머

다른 양공주에게로 옮겼다.

동시에 버림받은 이화자李花子는

어느 날 극약을 먹고

매음賣淫 조합의 여신이 되었다.

입술은 식어서 애정을 완성하였다.

그녀는 벗지 않을 옷을 입어

그녀는 불을 재[灰]에 켜들어

그녀는 사슬에서 벗어나

녹슨 육체를 벗어나

누구에게나 은혜로운 시간이 되었다.

그녀가 세상을 떠난 것은

졸병 조온과의

애정을 만월滿月한 때문이었을까.

모를 일이다, 모를 일이다.

긴 밤길을 걸어온 여자였다.

전쟁에 얼은[凍] 그녀가

조온에게서

굶주림을 면하지 않았던들

거짓과 웃음을

그처럼 헐값에 버리지는 않았을까.

모를 일이다, 모를 일이다.

망각에 구원되어 누워 있었다.

"보시다시피 동두천은

조그만 고을이지만 양공주가

천여 명은 더 있을 것입니다."

오대령은 이야기를 계속한다.

양공주들은 자신의

시체를 화장化粧시켰다.

양공주들은 자기의

주검 앞에 소복素服하였다.

양공주들은 자신이

탄 상여를 뒤따랐다.

외군 찝차들은 장렬葬列에 참가하였다.

저승에는 전쟁이 없듯

사랑에는 국경이 없던 이승,

수분水分 많은 조온이

이화자의 자갈밭으로 들어와

진정 아낀다며

잎[葉]으로써 잡았듯이

오늘도 다름없는 그날이지만

동두천 사람들은

사중생死中生의 행렬을 본다.

외군들도 여자가 필요하였다.

그들은 편리하게 법을 뚫고 나온다.

물품들이 한국은행권과

어떤 방법으로 교환되는가는

달과 산과 어둠이 안다.

속으며 속이면서

겨우 가족을 부양하는

이 고장 사람들을

돌담과 도랑물과 구름이 안다.

조온은 이유도 없이

이화자를 좋아했듯이

이유도 없이 그녀가 싫어진

자기 자신에 황홀한 염증을 느꼈듯이

꽃이 피지 않았던들

꽃은 지지 않았을 정도로

요령搖鈴소리가 조온의

추억에 들어선다.

내일은 걸레 조각,

영생永生은 눈을 뜨는데.

장렬葬列의 앞을 호위한

외군 찝차들이 '제세약방濟世藥房' 극약병에

일렁거린다.

공功도 없는 그녀를 위해서

백주白晝에 헤드라이트를 밝힌다.

스스로를 위로하면서 운전한다.

행렬은 삶과 죽음에 가로놓인

철길 위의 다리[橋]를 지나간다.

죽음은 국적이 없기에

지구는 돈다.

누구나 아는 이만 일을

아무도 유의하지 않기에

지구는 돈다.

지나가는 차 안에서

오대령은 우리에게 말하였다.

"어디서나 길은 멀지요."

노신사의 가슴에서 황금 주화鑄貨는

메달 노릇을 한다.

"자유를 다오

자유를 다오."

채권자는 어디서 웃고 있는가.

비가 밑천 없는 경마장에 내린다.

기계가 감정을 숫자로 풀려 든다.

"누가 안다더냐."

샘물 곁에 우모羽毛로 자라난 수목이

내일을 그에게 준다.

도망과 추적은 도시를 넓힌다.

"다른 방도는 없을까."

"아기야, 한 번만 더 웃어보아라."

언어를 닫고

눈을 뜨면

들[野]로 내려오는 물에

해가 주렁주렁 열린다.

연광年光으로도 따질 수 없는

돌[石]에서 잎사귀가 핀다.

전화電話를 반영한 유리곽 속의

신라 인형이 달을 바라본다.

마구 쓰러진 곡식들은

빗발에 썩어서

세포가 세균화細菌化하는 수천만 개의 눈,

햇빛은 촌락만한 눈마다

탄식을 뚫어

다시 퍼진다.

근심은 가난한 담장마다 덩굴을 뻗어

장독대마다 그늘을 펴는데

"부디, 이 돌배를

천도天桃쯤으로 아시고 자시게.

돌배를 천도쯤으로
아시고 많이 자시게."
그가 연대기年代記를 바다에 버리자
폐허의 모밀꽃들은 속삭인다.
발들은 냉각한 불덩어리를 밟으며
지나간다.
새벽 열차가
폐업한 공장 지대로 들어온다.
농촌 같은 나의 형제 자매야
각기 어디서 무엇을 하노.
그립거든 잠시 네 손을 굽어보아라.
어디 약간만 움직여보아라.

"우리, 얘기나 합시다."
"여러 가지로 지친 중입니다."
"마침 잘됐군요, 글쎄 들어보세요.
그림자의 반점을 한
표범들이 교미하였답니다.
알[卵]을 낳았는데
돌[石]이드래요.
사흘째 되던 날
리봉을 맨 기관차가

그 돌 속에서 하하 웃으며

천천히 나왔습니다."

"사실입니까.

믿을 수 없는데요."

그렇듯이

그의 전생이 기독基督이라면

바다는 하늘로 변할 것이다.

그가 바로 부처님이라면

석류꽃은 불빛으로 웃을 것이다.

생전이 사후와 같다면

지구는 온몸으로써 돌며

부정할 것이다.

알 수 없는 일이

우리 자신일 때

모르던 일을 알았을 때

판자집 골목 사이로

절단된 바다를

똑딱선이 지나간다.

"어디로 가는 걸까요."

서로가 묻고는

맞쳐다본다.

어디로 가는 걸까요.

건물을 돌아 나가면

수위守衛의 딸은

주간 공연의

스포트라이트에서 목욕하다가

허리를 굽혀 두 다리로

달[月]을 창살에 만들어 보인다.

남자가 쓸쓸한 목교木橋를 건너

모자를 벗고 숲 사이

창고로 들어선다.

그들은 하나의 성단聖壇이었다.

"평범한 무명 인사의 상像을

로터리에 세워

흑판에 나타난 알렉산더 대왕을

재인식할 시간입니다."

"되도록 조그만 소리로 말합시다.

좌우간 상당히 춥군요.

무대의 사람을 꺼져가는 등불이라구요?

그는 이십 년 전만 해도

해안선 너머까지 휩쓴

히트 송입니다.

헌 가마니짝 같은 음성을랑 비판 말고

어떻든 박수를 많이 칩시다.

저것 좀 보세요.

웃음을 지으면서 공손히

손님들에게 절하는군요.

우린 웃지 맙시다.

잔인한 일입니다.

뭐라구요, 아니지요.

그의 아들은 광산과鑛山科에 재학 중이야요."

그래도 표가 너무나 싸다.

원형 천정天井은 쥐구멍을

통하여 부탁한다.

"깡패를 환영합니다."

그래도 장내는 정원 미달이었다.

"평범한 무명 인사의 상을

로터리에 세워

흑판에 나타난 알렉산더 대왕을

재인식할 시간입니다."

길가에서 장난감들을 보는

젊은 부부를

그가 본다.

그의 꿈은 목적 없는 곳에서 나타난다.

그는 목적 없는 거울 안에서 미소한다.

그는 일요일도 출근한다.

교통 신호를 무시하면서

시간을 횡단한다.

직장에 들어서면

그는 그가 아니었다.

경제로서 한 벌 뼈대만 남는다.

그는 기억에 서 있는 상록수를 듣는다.

등단했던 훈장들을

진열한 박물관에서

그의 동창생은 부인과 소일한다.

그는 앞에 가는 사람에서

자기를 본다. 그는 점점 내일이 된다.

그는 안개 속을 걷다가

어느 사이에 황혼의 나무가 된다.

돛대를 제거하자

그는 중립한 수평선이었다.

망연히 퇴근한

그는 육수점肉獸店을 등지고 서서

소낙비를 피하며

양화점 진열장에

비쳐진 해외 잡지의 많은 나녀裸女들과

우그러든 자기 얼굴을 더듬는다.

그는 꿈에 돛대가 되어,

장난감들 앞에 섰다가

맨손으로 돌아가는

젊은 부부를 본다.

웃음소리는 병원 철창 안에서

다른 세상을 연다.

폭격이 끝나기 전에

다리 밑에서 터진

그녀의 괴상한 웃음은

시작부터 발가숭이였다.

폐허가 된 처녀는

백설이 된대도

십전十全의 자유를

건립하지는 못할 것이다.

어느 곳에서나 매양 한가지인

해와 달이

수술대 위 면포面布 안에서

한꺼번에 눈을 감는다.

힘줄은 과거로 달리면서

지도를 편다.

내용은 퇴고推敲할 적마다 바다에 젖는다.

아이들은 노래하며 석양을 따라간다.

　　양갈보가 내 딸이냐

　　쿵작 쿵작 쿵작작

　　어떤 놈이 내 사위냐

　　쿵작 쿵작 쿵작작

공장 부근 미나리꽝

그늘 속에서

그는 엽맥葉脈만한 손을 뻗어

기차 기적에 맞추어 도달하려는

연꽃으로 솟아올라

썩은 계단 밑을 지나가는

아이들을 보려

이마를 물빛 창에 비빈다.

항아리 주변에서

공간은 살아난다.

당뇨병에 걸린 산들이

하늘에 누워

소沼에 반영한

그 틈 사이로

아이들은 사라진다.

눈들은 지상에서 올라간

별들과 국수 가락으로

연결되었으나 일상 생활은 떨기만 한다.

회의懷疑의 핵을 폭파하라

수술대에서 사자死者가 일어나듯이.

숲을 지나

순한 냄새를 내려가면

양편 소沼는

반석盤石에 박힌 눈[眼],

계단이 새벽을 담은 가슴으로

휘어든다.

멸영滅影에서

그녀의 손은 나온다.

"잡아주세요.

당신 마음에 가득 차도록."

청화백자青華白磁의 허리를 안으면

이다지도 가난한

저다지도 착한

방방곡곡이

암죽을 데운다.

사발을 들어주마,

일렁이는 채운彩雲을

다 마시기까지.
수척한 그러나
아름다운 눈이여.
벽이 운다.
노여움을 지우는
얼굴마다
먼동은 튼다.
나의 생각은
모든 나라
잎들 사이에서
자라 오른다.

2곡二曲

운전사는

비 내리는 퇴근 시간을

한 장 유리 너머로 횡단하다가

정차했으나 바퀴가 미끄러지는 바람에

여자의 하이히일 끝을 눌렀다.

비명은 쇠[鐵]를 뚫고

솟아올라 점등하였다.

그런 후로 심심하면

그는 수전증手戰症이 생겼다.

무엇인지 생生으로 잡을 것만 같은

예감에 사로잡혀

셋방에 종일 누웠는데

아이들은 '고향'을 합창한다.

그는 돌아누워

아내도 모르는 기도를 하다가

또 하품을 한다.

차가 무거리無距離를 달리고 있었다.

사이렌은 배경背鏡에 화급히 퍼진다.

이상한 바다 고기 한 마리가

천천히 창을 들이받아

시야는 소리 없이 부서져 날은다.

하얀 바다 고기 배 속에서

경찰들이 쏟아져 나와 그의

아들인 시체를 국방색으로 덮는다.

관람석에서 그는

잡혀가는 그를 보며 웃는데 그는

아내가 흔들어서 꿈을 깨었다.

땀이 온몸에 흐른다.

둔중한 잎사귀로

시詩의 생략으로

기교가 없는 얼굴로

두 눈[眼] 사이로

창은 열린다.

대륙적인 형무소가 불타오른다.

딸아이가 병원에서

산골짜기처럼 잠든 밤이다.

신은 창가에 육색肉色 불을 밝혀

타죽은 사람들과 말한다.

나는 거울을 볼 때 곤란하다.

거울은 나를 볼 때 쓸쓸하지 않다.

"종이[紙]를 집어올립시오.

나는 어느 쪽도 아닙니다."

누구인가가 아침에

열린 문으로 나온다.

쌀가게 주인인 옛 제자는

복덕방에 취직한

전직 교장 선생님께 인사한다.

"진지 잡수셨습니까."

"밤새 별고 없었나."

달력은 엿듣고 있다.

오후가 내다보이는 다방 안,

대학 시간 강사와

카이키레[買ィ切ㄴ] 번역쟁이는

구호 물품 옷을 벗은 유화油畵 밑에서

낚시에 관한 경험을 교환한다.

메뉴는 엿듣고 있다.

모두는 모두를 위해서 변한다.

교통 사고는 부채[扇] 뒤의 달[月]을 눌러

페인트를 쏟는다.

"흥분하지 말게.

그게 보건법일세."

누가 문화 센터 용기用器에다

정충들을 살해했는가.

경찰에 잡혀온 건시궐파乾屎橛派

일당은 훌륭한 겁쟁이들이었다.

"혼자서 뭘 킬킬 웃나."

"한자漢字를 혼용한

한자 폐지론을 읽는 중이야."

"웃을 것 없잖나."

"건 강장젠데."

"이건 강장제다."

"웃을 것 없잖나."

원근遠近이 들어 있는 비[雨],

비는 실내를 만든다.

김[蒸]이 창마다 얼룩지는

둔주곡遁走曲에 오른다.

체포되어 들어온

금은보석상 점원이,

몸을 국화 무늬로 감고

수심에 갇힌

여자에게 청한다.

"서로 위로합시다."

"무슨 좋은 수가 생길지
누가 안대."
"기다리는 것은 손해지요.
위생상 잠깐만 동정합시다."
"어디 좋을 대로 해봐요."
물[水]은 시간을 지워버린다.

곡예曲藝는 시간을 지워버린다.
나팔소리가 남루襤褸로서 펄럭인다.
"그는 높은 줄에서 떨어진대도
날개가 생길 것입니다."
"하긴 없던 법도 생기니까요.
무슨 남자가 저럴까.
송장이 웃는 것 같네요."
"그 사람은 벙어립니다."
"보수론 얼마나 받나요."
"일반은 웬일인지
고전을 좋아하지 않아요."
그는 높은 그네를 타면서
떨어져 죽었던 아내를 잊는다.
밑바닥에 떨어졌던 그가
새벽 총소리에 일어나 앉는다.

"마리아 님, 역시 잡숫지 않으셨군요.

거룩하십니다, 마리아 님."

그는 근심을 근심하지 않는

호박덩굴의 몸짓으로써 건너간다.

걱정을 걱정 않는

주전자에서 따루어지는

자세로써 맞이한다.

날아오는 여자를 잡아타면서

동작에 박힌 성聖을 확인한다.

단장 송여사宋女史는 비밀이 없었다면

자살한 지 오래일 것이다.

그럴 때마다 은행 통장은

부인용 팬츠를 입었다, 벗었다 한다.

어느 날 달나라에서

송여사는 괴한에게 사살射殺당했다.

넘어지는 그림자를 깔며

솟아오른 핏줄기에서

왜 잎사귀가 피었을까.

명색 없는 유화油花가

우리의 기억에 그늘졌을까.

아무도 보는 이가 없는 곳,

라디오여,

비밀에 입맞추는 나를 사랑하라.

스스로 문門이 되기까지

밥먹듯이 잘못을 사랑하라.

출생 전을 모르는 나는

겨우 공포와 섭섭한 작별을 한다.

폐허에 앉은 거지가

꾸겨지는 그림자에서

나를 본다, 성인聖人을 본다.

문을 열다가

흑판에서 외치는 해골들 바람에

깜짝 놀라, 얼른 문을 닫았지만

너는 반사하던 기억밖에 없다.

그는 비비상처非非想處에 들어가서

거울 속의 그녀를 끌어안는다.

그녀의 먼[盲] 눈에서

감로甘露는 흐르며

우리의 똥오줌에서

풍경은 성숙하였다.

수초들 사이로

비친 전등불이

계사繫辭* 구절을 넣은

액연額椽의 유리와 겹친다.

사나이는 잠든 금붕어들이

기도를 구축한 집에서

고기古器를 안고 나온다.

소음은 곧 그를 포위하였다.

달아나는 앞은 철로밖에 없었다.

열차의 속력이 신호를 유혈流血하며

막을 내리자

고기는 사자死者의 내부에 촬영되었다.

음화音化한 그릇[器]에서

금붕어는 다시 헤엄친다.

"좀, 늦었어요.

누님은 볼 생각 마우."

여자는 울먹인다.

"착한 그이가 쓰지도 못할

물건을 왜 훔쳐냈느냐 말이다."

"누가 알아요."

역사체轢死體는 고금古今이 없었다.

하늘과 나뉘기 전부터

돋아난 이[齒]로

삶을 씹는 곳

공간은 얼마나

아름다운 기명器皿인가.

"뭘 하느냐구요

속단하지 맙시오.

아무것도 아닙니다.

정말, 아무것도 아닙니다."

그는 자신을 속사 연발한다.

영사映寫된 군중은 총탄을

맞으면서 연신 웃는다.

그곳은 무덤도 없는 모오짜르트,

수금收金에 바쁜

안테나의 숲에서

난사亂射가 일어난다.

"생각을 좀더 줄입시오.

오렌지인 모오짜르트를 봅시오.

모발毛髮은 청동 어깨를 감싸며

속삭이는군요."

감옥을 나가기까지

아돌프 아이히만*의 얼굴에서 지구는 돈다.

OAS*는 병원과 형무소와

학교 시계탑을 마구 사격한다.

나의 손은 무중력 상태.

어둠에 채색하는 꽃밭을 듣는다.

그날 밤 경대 앞에서

위조 지폐로 변장한

청년은 외투도 없이

석유불의 골목을 간다.

벽의 탄흔彈痕에 너울거리는

그의 그림자에서

그녀의 웃음이 옷을 벗는다.

세계의 영웅들이 자살한 날,

대법원에서 위조 지폐는

한 장 사진으로 불타버렸다.

풍속기가 터지는 구름,

간격이 없는 시가에서

모오짜르트는 두 번 죽지 않았다.

달리는 배경背鏡 안에서

운전사는 허공만 본다.

죽음과 기도의 십자 막대기가

머리 위로 지나간다.

열녀사烈女祠를 파수보는 고가선高架線 저편에서

냇물이 과수원 양쪽에

젊은 이야기를 편다.

가시 울타리로 휘어들자

예배당이 무너지는

음향을 지르면서

솟아오르는 철교,

그 건널목에서

파라솔을 든 촌색시는

파라솔 빛이 옮아 탄

정기 버스 안을

못 보고서 지나간다.

그 영색映色이 지워지기까지가

나의 불안한 통로였다.

비행기 조종사의 아내가 염려하는

전날 밤 꿈이었다.

"수염을 깎으면 전사한다"는

한 장 포고布告 뒤에서

철모들은 불을 항해한다.

망각의 신기루蜃氣樓에서

바람은 지난날들을 휘몰아

태양을 결실한다.

"그래 시인도 직업인가요.

못하는 짓 없이 하면서

그 잘난 것은 왜 못 버리나요.

오늘은 옛날이 아니예요."

"글쎄 어느 모로 본들

딱한 상대에게 그럴 수야 있나."

"이젠 옛날이 아니예요.

어서 가서 받아와요."

역시 달라진 것은 없었다.

강 건너 상가喪家에서는 싸움이 한창이었다.

하숙집으로 돌아오는

대학생 등[背]에

"과부 구한다"는 쪽지는 만개滿開하였다.

역시 옛날과 달라진 것은 없다.

이틀을 굶자

손가락마다 뱀이 되어

한낮의 밑바닥을 기어다닌다.

수목은 금속소리가 교차하는

중심점으로 넘어 박힌다.

잘 익은 사과들이 모발 사이로 흩어진다.

누가 던져넣었을까.

어항은 가래침과 코 푼 종이로 가득,

뛰어들자 파도는 밥과 여자로 나타난다.

어느새 해안은 없었다.

초기 환자에게

허위 진단서를 써준 의사를,

기적奇蹟은 그들을 축복한다.

파도는 미래를 넘는 중이다.

건축 공사 안에서

전등불들은 귀가 먹었다.

테두리를 벗어나자

청각은 다시 살아난다.

그녀가 입은 노란 바탕에

검은 줄무늬들이 시가市街를 이루었다.

"저기가 비엔나 예식장이군요."

"왜 이민이라도 갈 성싶은가."

건달의 냉소에 달려든 정전停電,

바람은 그들을 씹는다.

촛불밭을 떠나가는 관棺에

하늘이 일어선다.

시위 행렬은 노선을 따라온다.

"병풍屛風인가요."

"쉬, 널[棺]이야."

허무를 가르는 두 개의 널이

트럭 위에 나란히 서서 지나간다.

명사名士 '아무개 구柩'를 쳐다보는 눈들,

"저건 살아 있는 이름들 아닌가요."

"쉬, 소리가 너무 커……"

선그라스는 하이히일을 누른다.

아이들은 비둘기털들을,

비둘기털들을 쫓아다니며 줍는다.

함박눈은 과거에 내린다.

남·여는 다방 '희망'으로 올라갔다.

담배 연기 너머 이국 식물,

나는 약속보다 일찍 와서

촛불 켜진 해저에 자리를 잡았다.

"앞으론 의미가 없는 글을 쓸 것."

그래서 나는 공연히 신문을 든다.

포위당한 탈옥수가

밤의 선실로 숨는다.

살기 위해서 깊어가는 밤은

시국 때문에 장아찌가 된 예수님

정치 때문에 영생한 예수님

기도는 촛불 곁에서 구걸한다.

그러나 합장은 대상이 없었다.

"번역을 헐값으로 또 부탁하겠지.

이번에도 대답을 않다가 말아야지."

창마다 비친 그는

녹슨 굴뚝들이었다.

필요 이상 섭취 않는

식물들은 그에게 손짓한다.

전화 약속은 나타나지를 않는다.

단념이 황야를 때리는 바람

음화淫畵를 파는 소년들의 무표정

아무에게나 애원하는 무모無毛 지대

상처 안에서 익는[熟] 달[月]이다.

그는 법 없어도 사는 곳을 찾다가

역살轢殺된 사지四肢.

열차는 기억에서 떠나간다.

밤 도깨비가 된 딸을 만나보고

시골로 돌아가는 할마씨는

삼등 구석에서,

딸이 흘린 짠물을

자기 눈에서 닦아낸다.

황혼은 고철군古鐵群에 퍼지는데

눈꼽은 세계로 통하는 길,

"배가 고프다는 사실은

얼마나 무지無知하도록 아름다운가."

진열창 안의 풀라스틱 인형과

비단 곰은 서로 이야기하면서

숲의 웃음을 끌어낸다.

성聖스러운 천치天痴의 윤곽을

뒤집어쓴 백치白痴의 얼굴을

다른 시선이 조준하며

반원창 안팎에 철로를 깐다.

잡초 우거진 입이

그의 어깨를 친다. 그는 묻는다.

"누구시지요."

노란 웃음은 대답한다.

"반갑소. 나를 못 알아보갔소.

소문으로 들어서 알 텐데……

어제 형무소에서 나왔쇠다.

수사 과장어 이 모양이 됐구려.

아무것도 못 먹었으니

오백 환만 동정해주게."

그는 낯모를 사람에게

오백 환을 내주고

이유 없이 달아난다.

이유 없이 기뻤다.

이유 없이 무서웠다.

성당 시간은 사형을 확인한

의사의 표정을 지었다.

바아의 네온사인들은 외친다.

"불사약不死藥을 판매 금지하라."

그는 버스 안으로 뛰어올랐다.

지나가는 길 양쪽이

조서調書를 넘긴다.

함박눈이 관棺에 쏟아진다.

전등은 손가락마다 켜진다.

처녀는 건달을 따라

여관에 누웠다.

밤은 문명의 모순을 지운다.

나무를 양쪽으로 자라 올린 채

앉은뱅이가 된 이념,

피가 스며서 다시 푸른 하늘,

가축들은 또 운다.

대바구니를 기다리는 옥수수들은

씨알마다 우주가 박혔네.

그와 그녀는 손을 맞잡고

바위 속을 헤맨다.

"어디서 파도소리가 나는군."

"충치 같은 배[船]가 출동해요."

그들은 손을 맞잡고 바위 속을 간다,
옥수수밭을 찾아서.

미국에서 보내는
서재필徐載弼 박사 십 주기 방송이
도오꾜에 출장 가고 없는
위일이암 방에 퍼진다.
방안에서 여대생이 보는
악보에 홍수가 난다.
계속하는 포풀라 나무들이
별들을 쓸어 내린다.
그녀의 네모꼴 자세,
부푼 꿈에는 열쇠가 없었다.
그녀는 침대로 옮아 앉아
고대 신화의 발가락을 굽어본다.
이윽고 할머니는 손녀의 수면에
들어선다.
의병들이 동네를 지나간 뒤
총소리와 함께
뽕나무밭 사이로
붉은 모자테들은 나타난다.
"밀고한 놈이 있다" 며

서숙밭·은 속삭인다.

갑자기 벙어리가 된 개와 닭들,

처녀는 곧 산발散髮하더니

얼굴에 검정을 칠한다.

골방에서 이불을 쓰고 누워 신음한다.

어른들이 "염병染病이라"는데도

왜병 대장은 무서워하지 않았다.

맥추麥秋의 해안을 끼고

화산火山은 입항한다.

죄없는 복역수들 위로

이상 백작묘李箱伯爵墓 위로

배[船]는 지나간다.

할머니는 친손녀인 여대생 머리 너머로

방문을 나서서

왜병 대장과 생이별한

딸의 과거를 바라보다가

다시 무덤이 된다.

늦잠에서 깨어난 양부인洋夫人인

여대생은 악보를 끼고 학교로 가다가

죽음을 가장한

행렬에서 헤어나지를 못한다.

수입은 줄어들수록

먼동이 트는 마음,

"누구나 인자합니다.

아무도 자녀보다

먼저 떠나기를 바랍니다.

아무도 젊은이들보다

오래 살기를 바라지는 않습니다.

어떻게 하면 말씀이

검은 이마를

위로할 수 있을지요.

햇볕을 범람하는 눈[眼]에

줄 수 있을지요."

어느 날 그는

'어떻게 하면'을 사살하였다.

사직서와 작설차雀舌茶는 말이 없는데

"투우 아웃에 주자는 만루

볼 카운트는 투우 스리……"

손은 녹綠빛 스위치를 껐다.

그를 결박하는 전파에서

저녁 노을은 신문을 펴든다.

한 대의 마차는

철창에서 나와

비단을 박차며 나팔 옆을 지나

소년 시절로 달아난다.

그는 출생 전으로 몬다.

그러나 마차는

원조 물자로 선 외국식 주택들의

복사꽃이 핀 돈대 아래로 온다.

그는 날아 내린다.

바퀴가 달린 판자집으로

들어가니 한 노인이 있었다.

노인은 시간을 잊고

밀가루 반죽을 한다.

그는 찐빵을 사먹는 손[手]에서

자기 손금을 본다.

영양실조한 나무잎들이 흔들린다.

부처님은 나무 밑에 앉아 있었다.

그는 다시 출발.

손금을 따라 달린다.

행복은 목적이 없었다.

목적이 없는 곳에서

죄수는 눈을 뜬다.

비가 온다.

나무들은 철창 안에서 무성하였다.

월급쟁이는 옷깃에 별을 단 채로 쓰러진다.

별은 철조망을 빨아들인

흡수지吸收紙에서 등불을 끈다.

피는 흘러도

거울이 물들지 않는다.

부인은 빚을 청산하기 위해

마네킹의 목을 뽑고

옷을 벗긴다.

하늘이 경사진 창에 모여들어

고지서는 유리에서

용수철 모양으로 일렁인다.

길거리마다 자살을 엄금하는

지시가 나붙었다.

극광極光에 싸인 부인이

마네킹의 자세를 하자

쳐든 팔 밑으로

해초들은 비밀을 가려준다.

젖꼭지는 등대의 방향을 돌린다.

세 마리 늑대가 조명에서

광야를 박차며 일어선다.

생수生水의 주변은 황량하였다.

그림자가 들어와서 부인을 누르며

뇌일혈로 쓰러진다.

그날 밤 한 마리 늑대가

죽으면서 왜 웃었던가.

이상한 일이다.

날이 새면 세 개의 포풀라 나무는

반짝일 텐데

어떤 물품들이

공간을 어떤 기교로 새겼는가.

합장은 날개짓으로 날아다닌다.

공간을 차지한 나무는 무슨 뜻인가.

위험한 일이다.

자기 표정을 시간에

비쳐 보지 말 일이다.

아무도 사지에 못을 박을 만큼

그를 숭배하지는 않을 것이다.

성자聖者여, 우리들은 그럴 필요가 없다.

유탄 정도일 것이다.

범하지 않아도 결과할 것이다.

'자독自瀆'을 미화하는 사기砂器,

전차 대열이 질그릇을 굽던 촌락을

지나간다.

면도面刀는 갑자기 정지하였다.

나는 콧구멍 곁의 사마귀가

밤 사이에 없어졌음을

발견하였다.

"어디로 갔을까."

거울은 나의 얼굴일 리 없었다.

나는 나를 등지고 앉아 있었다.

"정말 보이지 않네요."

아내는 묻듯이 대답한다.

갈림길은 대답하듯이 묻는다.

초미焦眉의 언어들은 하룻밤 사이에

빽빽이 자랐다.

"우리들은 어떻게 될까요."

"설마 그럴 리야 있을라구."

"그래도 그럼 어떻거지."

"내가 알게 뭐야."

언어들은 밥상에서 복닥거린다.

바깥에서 들여다보는

무서움이 유리창에 일렁인다.

과거를 아는 노인이 있어

그가 취직한 곳에 출근한다.

그가 공손히 인사하면

노인은 조상彫像처럼 지나간다.

노인은 연령이 없었다.

기회는 또 유부녀의 속옷을 반쯤 연다.

"나에게 굶는 재주를 주소서.

나에게 굶는 재주를 주소서."

그는 날마다 몇 번씩

노인에게 가기로 결심한다.

그러나 가지는 않았다.

그는 이러나 저러나 간에

노인으로부터 아무런

대답도 못 들을 것을

저래도 이래도 알 수 있었다.

어느새 그도 노인처럼 말이 없었다.

렌즈는 동쪽 길을 빨아들이는데

퇴근 시간 뒤

책상에서 힘줄을 끊은 손이

흐르는 피에 돛으로 펴진다.

전직 고관高官이 고층 법원에서

투신한 날,

자녀들은 딸기 농원에서 술래잡기를 한다.

낙망은 셋방을 뚫고

별들이 열린[實] 나무로 선다.

안개 속 벌레들은

산호가지가 되어 달을 만진다.

무無는 무가 없어

전라全裸한 합장을 한다.

죽음에서 돌아온

그는 여자의 가슴에 턱을 고인다.

바깥을 내다보아도

세상은 연령이 없었다.

폐회로에서 돌아온 아내는

남편에게 말한다.

"정원에 가위질을 마세요."

부모는 산천에 빌어서

나라 없는 백성을 낳았느니라.

소원은 무엇인가.

도마[俎] 금 같은 손바닥을 보아도

고향은 없었다.

수많은 길에 밀리어

그는 앞으로 나아간다.

반국민半國民은 어디에 절[拜]하나

자기 이외에……

우리의 아들 장발장은

철창 안에서 자가 발전을

해치우고 편안히 잔다.

청년은 미소한다.

꿈에서 신의 축복을 받는다.

죽음을 다시 한 번 죽어보아라.

피리[笛]는 속이 비었네.

그는 출입구로 들어선다.

노인은 음악빛 주택에서

의자에 앉아 졸고 있다.

여러 가지 과일이 열린

인조수人造樹들 사이로

장렬葬列은 기어온다.

길 양편에 누워 있던

남 · 여 · 노 · 소들이

겨우 일어났다가는

도로 눕는다.

조그만 손이

유아차乳兒車에서 흔든다.

이 나라 사람은 다

직업 없는 부자들이었다.

이 나라 사람의 얼굴들은

여자도 일정한 남편이 없었다.

아무도 선·악이라는 뿔[角]을 모른다.

수면과 권태가 어디서나

유리 한 장으로 내외內外하였다.

광장에는

많은 동상들이 서 있었던 흔적들만 남아

무슨 때문인지

각명刻銘은 상해서 하나도 못 알아본다.

상인이 없는 풍성한 시장이다.

신문은 불사약不死藥을 먹었던 자들의

자살 명단들로 만원이다.

시설이 완전하대서

사원寺院이나 정부 청사로 들어갔다가는

거미와 박쥐들에 놀라 나온다.

네온의 원시림에서

깜깜한 곳이라고는 형무소뿐,

어느새, 당신도 포만과 수면으로

몸이 움직이지 않는다.

그는 출입구를 찾아 기어다닌다.

속이 빈 피리에서

소리가 나도록

죽음을 한 번 다시 죽여보아라.

이나 저나 간에

다시 한 번 죽음을 죽여보아라.

전재산을 입고 나온

그녀의 직장은 밤이다.

그녀는 자다가 말고

남자의 뺨을 갈긴다.

남자는 킬킬 웃는다.

이야말로 대학 각과에서 연구할 일이다.

전차를 내리며 타며

엇갈리는 그들은

누구나 그만 정도의 분신,

그들은 하늘에 침몰한다.

목소리가 침묵이었다.

한 번 다시 죽음을 죽여보아라.

네온이 무성한 겨울 길거리에서

두 다리가 없는 사나이는

아이를 안아

서로 이마를 맞붙이고

이리하여 동상은 둥[背]뿐이었다.

천사는

얼어붙은 그들의 주위를 날아다니다가

열심히 당분을 뜯어 먹으면서
스스로를 미화한다.
너의 눈은 저 아이의 입이다.
어린 손은 너의 귀이다.
그의 허무에서
황금빛 까마귀는 날아오른다.
비친 것과 나타난 것과
아무 관계가 없는
동사凍死를 열고 들어가서
동상銅像 안에 혈관을 부설敷設하며
"박덕하구나.
배워도 어리석어지지가 않는다" 며
그래서 그는 탄식하고 있는 것이다.
이나 저나 간에
한 번 다시 죽음을 죽여보아라.
"언덕을 따라 인연은 흐르라 하고
눈을 우러러 샛별이게 하라."
저기서 방황하는 이는 누구인가.
이나 저나 간에
다시 한 번 죽음을 죽여보아라.

화염이 기어오르는 도마뱀이다.

경서經書가 눈을 끔벅이는 재[灰]이다.

과거에서 잎은 돋아나듯이

과거를 추방하라.

목화木靴는 아파서

숲으로 일어선다.

텔레비전이 화석化石한 꿈에

피를 주사한다.

소녀는 사슴과 함께

불 속에서 자랐다.

돌이 쪼개지면서

별들은 쏟아진다.

바람에 날뛰는 나무가지들이

가지들 사이마다 눈을 떠서

부정否定은 변화한다.

근본은 없어

없는 데서 생긴 나무 뿌리,

기명器皿은 꿈을 꾼다.

너의 소견에 네가 없듯이

그러기에 지옥은 원래 없는 것이다.

연기에서 우유에서 우산에서

집게에서 호올 밴드에서 그림자에서

속삭임에서 너는 '나'를 본다.

우리가 없는 곳에서

우리는 함께 있었다.

너는 일 초보다 작은 우주

너는 빛을 앞지른 탄력彈力,

그래서 너는 영생한다.

살생은 개선 장군의 포도주를 마신다.

소아마비는 꾀꼴새 노래를 염색한 벽에

기대어 서서

아버지와 마주본다.

달려오는 급행 열차 앞으로

들어서는 권태,

그는 달과 고향 사이의 미름나무

그녀는 입원실과 태극선太極扇 사이의 은숟가락,

배암이 들어가는 밤[夜] 구멍이다.

특급 열차가 되라.

미름나무가 되라.

은숟가락이 되라.

감방의 화분이 되라.

노래하라 소아마비여

은숟가락은 노래한다.

수인囚人은 노래한다.

불사不死하라, 석면石綿은 조혈造血한다.

얼굴은 서로를 본다.

그래서 내외가 노래한다.

참는 힘을 우러러 주소서.

거리距離가 없어지기까지.

아내는 입버릇처럼 말한다.

"간장[醬]을 당해낼 도리가 있어야지."

그녀는 산실産室로 들어가며

내색 않으려 미소한다.

사색은 삼각대三脚臺의 렌즈,

사상의 연륜은 벙어리였다.

견디는 힘을 우러러 주소서,

집중하는 그림자가

날개를 밖으로 펴기까지.

전쟁이 사전에서 없어진 날

개인마다 성자인 길거리

아이들은 성장해도

위인이란 말을 모른다.

"무게 없는 뜻을 들어올리게."

성악가는 새장 앞에서 무엇을 보나.

말하여진 것은

믿을 수 없는 것

생각하기 전부터 호흡하였다.

철따라 옷을 갈아입듯

목숨이 죄가 아닌 중거는

성당에 들어가서도 감동하지 않았다.

신은 심심하면

내 집에 와서 논다.

살의殺意에서 시간은 무성하였다.

그들은 조르던 목을 놓아

두 팔이 시계 바늘로 돈다.

그래서 이십 세기는 앉아서 다닌다.

생명과 맞선 권태,

제비꽃이 전선戰線을 가리자

그는 하품을 한다.

한 마리의 고기[魚]와 수리[鷲]는

그의 눈물을 받아먹으며

내가 쓴 책 안에서 동서同棲하였다.

달을 낳는 기중기,

여자는 도시 위로 침몰한다.

굵은 손은 뱀이 되어

열다섯 개의 달에 기어다닌다.

소경은 보살의 눈을 떠

탈출구는 없는 곳으로 나 있었다.

신을 벗듯이

자기 머리를 뽑아

식탁에 놓고

잠시나마 휴식합시다.

큰일은 아무데도 없다는데

창에서 불이 흐르는군요.

엑스레이에 나타난

구름은 무덤들로 번식한다.

전주電柱에서 무성하는 잎은

나의 신앙

사진에서 내온 술은

나의 종교,

우리들은 버리면서 들어간다.

늙지 않는다.

찬송하라 그만한 고난을

감사하라 그만한 과오를.

그러지 않았던들

남루 쪼각들보다 더 많은 성자를

연탄 구멍들보다 더 많은 낙원을

몰랐을 것이다.

몰랐을 것이다.

어떤 교양이 거짓말을 미워하는가.

어떤 고독이 밀회를 거부하는가.

우리의 비밀을 위해서 옷을 입읍시다.

병원선은 막幕 너머 해저봉海底峰에

걸렸다.

그들의 하늘은 낮다.

그들의 하늘은 좁다.

은행 앞의 분수는

많은 태양들과 통신 중이다.

그림자는 어둠으로 들어가고

나는 달을 뜨락에서 착색着色한다.

김이 오르는 흙과

이마에 흐르는 이슬을 보세요.

당신은 갈증을 배경하고 빛난다.

가난은 창고에 가득 쌓였다.

존재는 한 부분에 지나지 않으며

죽음도 한 부분에 불과하였다.

찾을 것이 없을 때

내의를 입듯

문을 연다.

뱀[蛇]은 눈[雪]을 맞으며

연꽃으로 솟아 피었다.

제비들은 일제히

돌 속을 날은다.

그곳은 새로운 신들이 사는 시가

서로가 성인聖人임을 아는 국토

서로가 성인聖人임을 아는 매일

거지도 대통령도 서로가

성인聖人임을 아는 세계.

어느 날 포위를 빠져 나가다가

집중한 철조망으로 떨어지는 그림자를

겨우 끌어올려

그는 복장服裝하였다.

바깥으로 뛰어내리자

심장은 진주 조개로 닫히고

교차로에는 해바라기들이 한창이었다.

그는 방향을 정하려 한다.

사방 어디에도 병원은 없었다.

항구 쪽으로 가다가

그는 그림자를 벗어

게시판에 걸어두고

갖가지 빨래들이 창들을 가린

골목 안에서

오줌을 깔긴다.

지나가는 순경이

게시판에 걸려 있는

그의 그림자를 끌어내렸다.

그는 골목을 나오다 말고

호각소리에 쫓겨 달아나다가

극장 안으로 뛰어들었다.

황금 광선들이 어지러이 춤을 춘다.

벙어리는 피아노를 두다리며

장님은 바이얼린으로 협주協奏하는데

손님은 하나도 없었다.

그는 구석 자리에 앉아

내부를 둘러보았다.

달의 해저에 과목果木들은 정연整然하였다.

벙어리는 듣는다

들리지 않는 소리를.

장님은 본다

보이지 않는 세상을.

어둠은 그의

알몸에 왕의王衣를 입혔다.

자동차들은 공중에서 경주하며

별들이 헤엄을 물에서 친다.

무대의 판매점에서

집단 구타를 당하는 전입생이

분노하지 않으려 무던히 참는다.

그는 어디서인가 꼭 본 듯한 학생이기에

자세히 보려고 눈을 닦다가

그제야 소년 시절 때부터 쓴

안경이 없어졌음을 알았다.

그때에 사형 집행이 아홉번째로

연기된 사람은 들어왔다.

그 사람은 순경이 들고 갔던

그의 그림자를 몸에 입고 있었다.

광장에서는 태양을 한창 조립 중이었다.

종교가는 또 영계 백숙을 먹으면서

무슨 권위처럼 외로워한다.

숨어서 기다리던 청년이

떠나가는 화차貨車에 뛰어올랐다.

포켓 속에서 '아버지 위독'의

전보 한 장은 신호를 한다.

벽은 흐르면서 시간은 달린다.

하나도 분명하지 않은

하나도 버리지 않은

시간은 날으다가
일 초 안으로 줄어드는
무無의 폭발.
반영反映을 쉽게 빠져 나온
이탈은 죽지 않았다.

언제나 오늘이 전부가 아니다.
GOA 총독실의 앵무새는 명령한다.
"침략군을 무찔러라."
과부는 소년의 손을 잡고
황혼의 무역항을 굽어본다.
언제나 오늘은 전부가 아니다.
아버지는 기미년 만세 때 떠나고
어머니는 6·25 사변 때 떠나고
그는 불구인 동생과 함께 산다.
언제나 오늘이 전부는 아니다.
출격 직전에
공포와 일치한
쇠[鐵]를 뚫어 날은다.
언제나 오늘은 전부가 아니다.
월급쟁이는 출근 도중에서
차 뒤의 번호를 보아

앞날을 점친다.

언제나 오늘만이 전부는 아니다.

사랑과 근심을 감상하게.

누가 형무소에서 제왕으로

호위받기를 바라는가.

기쁨과 게으름을 혼동 말게.

누가 어디서 영생永生하기를 바라는가.

즐거움과 근심의 도기전陶器展일세.

보이는 것과 보이지 않는 것을

반죽해서 만든 책들일세.

자기 자신에서 벗어난 손[手]으로 만든 걸세.

언제나 오늘로서 전부가 아니다.

그래서 사람은 누구나 복이 많다.

비밀이다.

망각제忘却劑 중독자이다.

풀잎도 벽돌도 빨래도 김치도 흙도

온 세상이 엄마의 얼굴일세.

세상에 없는 엄마의 얼굴일세.

언제나 오늘이 전부는 아니다.

참는 얼굴을 예찬하라.

누가 이 짓을 하겠는가.

누가 하지 않고는 견딜 수 없는가.

누가 자기도 모르는 중에 하는가.

3곡三曲

어떤 주의主義를 위해서
유방乳房은 생겨난 것이 아니다.
은혜는 내일이 있듯이
감사하지 않아도 좋을 정도였다.
언덕을 앞·뒤로 거느리고
불안만큼씩 자라 오르는 나무들,
민요는 식어드는데
소망은 패자敗者 없는 승리로 흐른다.

개뿔 같은 이야기였다.
"그들이 오는군요."
"곧 끝나겠지요."
내벽을 뚫는 총소리,
비둘기 떼는 박수 갈채로서 날아오른다.
두 사나이는 생글생글 웃으며
형장에 쓰러진다.
바다가 해[日]의 가장자리에서 깨어져

주름살이 옷자락에 잡히는

옛 목조木彫 보살들은 미안하도록 아름다워라.

나는 어디에 묻혀도

다음을 기르는 공간,

씨앗입니다. 불입니다.

대자대비하다고 생각지 않으십니까.

보살은 언제나

언제나 나는 대자대비합니다.

그런데 술집 처녀는

손을 넣어보더니 웃는다.

"당신 것 참 크네요."

수줍은 사나이가 묻는다.

"얼마면 될까."

"훌륭한 체 마세요.

그러다간 타락해요.

난 서署에서도 병원에서도

받아주지 않는 걸요. 안심하세요."

생각은 백합꽃을 타고

세계를 횡단한다.

처녀는 인종을 차별하지 않았다.

이러기는 쉽다.

저러기는 쉽다.

정의가 너를 잡을 것이다.

절망에서 생겨난 별.

연기煙氣를 잊지 않는 생산.

아내여 손을 잡게.

전쟁은 예고가 없다,

땅은 우리를 중심하여

참외를 익히지만.

손톱마다 솟는 해,

구호 물품을 입은 어린이가

봉선화를 지도에 심는다.

하늘은 문명이 없소.

신은 계절이 없소.

바다는 죽어버린 불사不死요.

보는 사람이 없는 바다에

함박눈은 종일을 무성하오.

삼색장기三色檣旗가 바위 안에서 펄럭이오.

거리[街]는 성교性交처럼 거룩하다.

그들은 묵비권처럼 거룩하다.

거리는 예배당처럼 거룩하다.

그들은 예금 통장처럼 거룩하다.

거리는 피처럼 거룩하다.

그들은 내일처럼 거룩하다.

거리는 투표처럼 거룩하다.

그들은 식사처럼 거룩하다.

그녀의 장갑은

나의 시,

폭로는 주검

죽음은 비밀

비밀은 사랑

미완성은 영원

"창장窓帳을 내리세요."

비는 내리는데

육감六感은 범람하고

짚[藁]에선 피가 샌다.

소리는 쫓겨나

뼈가 태열胎熱을 앓는다.

피에서 연기가 난다.

각광을 받고도

현대 자기磁器는 체온이 없었다.

섭섭한 일이다.

물고기들은

내 그림자만 보아도 달아난다.

그림자는 구두소리 높이

시가市街를 걷는다.

나는 나의 그림자를 피해

간판 아래로 들어가서

내가 없던 나의 경험을 구경한다.

남하南下한 사나이는

아내의 결혼 반지를 팔았다.

환도還都한 지 몇 해 뒤에사

그는 똑같은 한 돈 짜리를 샀으나

그제는 아내의 손가락에

맞지가 않았다.

어머님의 인고忍苦하신

핏줄을 이어받은

그의 지류支流에 공사가 한창인데

입김은 누룽밥 같은 손에

쇠망치소리를 낸다.

"아내여 좀 따뜻하고 싶지."

땀이 흐르는 시멘트,

석탄의 이면은 감[柿]이었다.

마담은 난로 곁에서

유지油紙를 뻗고 곶감을 만지며

억센 남자를 생각한다.

어머니가 떡장사였다던

그 호색꾼은 지금 어디에 있을까.

어머니가 불을 끄다가 타 죽었다던

그 상습범은 지금 어디서 무엇을 할까.

그래서 떡만은 안 먹는다던

그 거짓말쟁이의 참말은 무엇이었을까.

목욕만 한 마담은

모발 사이로 하품을 씹는다.

초침들이 날아와서

창문에 흐르는 바람,

동시에 억센 사나이에게로

달려가는 도로가

이중 삼중으로

나무가지를 흔든다.

그러나 그의 표정은 사고思考 이전

가난한 방은 그의 몸

아무도 못 보는 마음은 그의 정원

그의 말은 하수구에서 자라나는 책

소위 위대한 것을 거부하는 곳은

하루에 세 번씩 식사를 하듯

날마다 근심이 있어서 족하였다.

나는 하 심심해서

근심을 조절하다가

이만 식지食指를 잃었다.

친구가 적인 여병女兵과

어쩌다가 사랑을 했는지

이해할 수가 없다.

그들이 잡혀온 황혼

"남길 말은 없는가."

"우린 어렸을 적 소꿉친구였습니다."

대답은 일제 사격이었다.

주민 없는 마을에서

나는 다리[脚] 하나를 잃었다.

"아버님과 어머님,

사진을 보십시요.

가정을 그리워하는 우주 비행처럼

열차 지붕에 쌓인 눈[雪]처럼

거지의 눈동자에 비친 보석처럼

생각으로는 어쩔 수 없는 곳에서

저의 온몸은 빛났습니다."

지구는 알 속에서 표류하며

창고 안에서 구명정은 불타오르고

다리[橋]에서 수많은 동물이 쓰러진다.

의미를 암살해버리면

무엇이 나타날까.

고드름에 자라난 낙타 털,

석면石面에서 남루한 달[月]이 출항하는데

교수대여

구세주여,

아무래도 가치 없는

사랑일 수는 없는가.

난로가 춥다.

연기가 음화陰化하는

아침과 저녁에

아버지는 하관下關 부두의 노동자였다.

선생은 국사 시간에 말했다.

"조선 사람은 식인종이다."

장다리꽃밭이 바라보이는 운동장에서

일본 아이들은 나를 위로했다.

"넌 조선 사람이 아니란다."

아버지는 취해서 돌아오면 말했다.

"히라바야시 요네코平林よね子와 놀면 안 돼!"

그럼 웬 심판인지

나는 코가 시고[酸]

요긴한 때면 어머니는 으레

기침 때문에 말을 못했다.

혼자서 생후 처음인

조국에 왔을 때까지

나는 그림자와 함께 자랐다.

나의 연령은 '무관심'

의사도 나의 병명은 모른단다.

갈수록 뜻밖이어서

간혹 시계 뒤에 숨어서 보면

가벼운 월급 봉투는

아라비안 나이트.

그는 우연을 신앙한다.

약혼한 여자가 죽었을 때

진정으로 축복하였다.

만지기만 해도 생기는 칼금

그는 유리 너머를 계속 내다본다.

유리에는 회의會議가 숙녀 변기가

증권이 담배불이 겹쳐서 나타나다가

때로는 피를 토하는 뼈가 되었다.

그러나 유리 때문에

고문은 아프지 않았다.

우유를 마신 석가釋迦가

시내로 유리에 들어선다.

유리는 후회를 모르는 과오,

비난의 집결이면서 불감증인 유리,

거부하지 않는 유리는

슬픔을 승화시킨다.

한 번도 열중한 일이 없는

유리는 이유를 묵살하면서

유리를 스스로 없애버린다.

"물론 저 여자도 우유가 필요합니다."

이중 결혼이 의자에서 일어날 때

희죽희죽 웃는 백오십오 마일,

일만 이천 봉의 골짜기마다

별들은 우거졌는데

대동문大同門˙이 저승보다는 약간 멀다.

날짐승이 부러워서

친구는 꿈에 파리가 된다.

합창하는 주름살이 뻗는데

단념이 어떻게 숲을 이루었는가.

저절로 결실하였지

만든 것은 아니다.

월급쟁이들은

거울 속의 법정에서

신체 검사를 받는다.

원숭이 모양의 의사가

얇은 가슴을 진찰하며 권한다.

"집에 손질을 좀 하시지."

그럴 수 있을까.

목욕하다가 급사한 국장을 예로 들까.

임신 삼 개월인

국장의 첩이 와서 동정을 청했을 때

고향 소식만 들어도 외면하는

직원들은 숫제 벙어리가 되었다.

"내 말이 들리지 않나요."

"사모님 글쎄 뭐라고

대답하면 좋겠습니까."

이것은 대답도 질문도 아니지만

참으로 정확 무비正確無比하였다.

네가 자면서 꿈이 달리듯

내가 이탈할 때

장미는 색깔을 초극超克한다.

"가난이 죄라고요."

"가난은 죄가 없어요."

우리는 모르는 것을 확신한다.

한사코 치우치지 않는 기계 체조,

그는 진실로 기회주의자며

과연 미신가迷信家다웠다.

집을 팔ㆍ다리로 버티어

별에서 하수도는 순환한다.

벽에는 거울만한 못[池]이 있어

물고기들은 광고 풍선으로 모여든다.

그는 늙은 말이어서

가도가도 끝이 없어서

가난한 주머니에서

잠깐씩 휴식을 취한다.

군대 행진의 좌ㆍ우로 솟는

음계의 창들

녹슨 기계의 지식

아니면 일요일이 없는 실직자.

종소리는 퍼지는데

누구나 취미가 없었다.

부정不正과 자독 행위自瀆行爲 사이로 웃는 꿈

연기가 굴뚝에 나지 않는 방

그의 기도는 무아無我

그의 즐거움은 가난

그의 사랑은 과오

그의 진리는 부정否定,

별로 대단한 것은 아니지만

사람들은 일제히 일어나

정당 방위 태세를 취하면서

"누구냐!"고 외친다.

아무도 대답은 않건만

그림자들은 운하를 벽돌 벽에

여전히 파고 있었다.

늙는 아내를 대할 때마다

그는 미소를 연습한다.

해가 바뀔 때마다

그는 토정비결을 보았다.

그래도 너는 승급이 안 된다.

그래도 그들은 셋방살이다.

그래도 나는 술을 끊지 않는다.

그래도 그는 오입 한 번 못한다.

그래도 우리는 유식하다.

약 한 번 안 쓰고서 생긴 아기를

약 한 번 못 쓰고서 버린 후로

그는 하 자랑할 것이 없어서

겨우 부러운 것을 면했다.

그래도 썩은 구름에서 자라나는

잎사귀들이 있어

돌에서 춤을 추며 나온

나비들이 있어서

나는 좁은 방안을

모조품 '평화' 로 장식하였다.

이것은 수은이 벗어진 얼굴입니다.

저것은 칠이 떨어진 송학松鶴입니다.

이것은 서명이 없는 퇴계退溪 선생 글씨입니다.

그것은 되돌아온 출발점입니다.

이것은 사고事故를 위한 수양입니다.

황야와 경주하는 달

꿈에서 혼무混舞하는 먼지

가래침의 흑염주는

가로등 열列로 빙글빙글 돈다.

내가 없앤 손과

목[首]은 형광등에 침몰한다.

움직이는 미술관 안에서

포도송이는 기도한다.

염주가 돌아가듯이

돌아누운 그림자에

음악은 낙엽진다.

스님이 된 지난날의 탕아蕩兒

몰락한 귀족이 넘기는 노老 · 장莊의 책장,

우리가 할 일은

눈[眼]을 폭파하는 일이다.

게[蟹] 껍질을 뒤지는 손이

그냥 쓰레기통에

부각浮刻되는 일이다.

담배를 끊은 뒤로

안개는 걷히어

산골 마을로 내려오는 정기 버스

그는 흔들리면서 생각한다,

"보다 많은 내용이

보다 간결하게 나타난 손[手]"을.

그래서 그는 솔[刷毛]이나

주전자쯤 됐으면 싶었다.

뭐고 정확히 아는 사람은 없었다.

나도 그들의 한 사람이다.

종소리가 펴는 무지개빛 적막

돌아오지 않는 아들의 음성이

늙은 부모의 눈에서 흐르는데

황야의 상선

부상한 그림자

부서진 보살의 미소,

상가商街의 고요를

형무소와 우주 항행의 고요를

고요하게 하는 파도는 쌓이고 쌓여

삼양동三陽洞 뒷골목의

흙담으로서 돌아 나간다.

모발의 호수에서

종소리는 흰 돛을 편다.

나는 상관에게 대답했다.

"판단이 아직도 서지 않습니다."

솔직한 의견은 딱한 일이다.

혀가 가득히 부어 오른 입 안이다.

공간을 만들려

소음을 파내다가

얼어붙은 바다에서

신음하는 도색 영화를 보았다.

타버린 하지下肢에 흩어진 쌀[米],

그러한 세한歲寒에는 웬일인지

완당阮堂* 선생 한 폭幅쯤 갖고 싶었다.

이발사가 그를 면도하는데

작년 여름의 철교에서

그는 주저하며 있었다.

절도품竊盜品을 팔다가 들키자

그는 순경을 송곳으로 찌르고

황혼에 무작정 달아났다.

붉은 드레스를 입은 여자가

외국 군인들이 지나갈 적마다

오만한 눈짓을 보낸다.

여자가 피던 담배를

강물로 던질 때

천사의 날개가 그녀의 겨드랑이에

있음을

그는 보았다.

그래서 그는 투신하지 않고

휘파람을 불면서 돌아왔다.

"여자여, 순모純毛를 감사하라.

이발관에서 나는 수염을 가꾼다."

효석孝石은 「장미 병들다」를 언제 썼던가.

쓰레기통은 내 정신의 비료입니다.

찬란한 인권 옹호는

제삼 식민지에서 뿌리를 펴는데

나이트 클럽에 솟는 황금 연기,

맹세는 우상도 싫어하였다.

그의 시선이 한 마리 개미가 되어

여자의 젖가슴에 기어오르는 동안

그는 술과 담배를 하면서

붉은 드레스를 돌려주기로 결심하였다.

결정이 문제가 아니라

귀중한 노력은 항상 그 이전.

교육은 쓸데없는 것

용서합시오.

나는 마음이 약합니다.

밥상 앞에서도

여자 곁에서도

직원 회의에서도 건널목에서도

약간의 바람에도

나부끼는 깃발입니다.

지난날 순경은

이웃집 사나이를 잡아갔지만

원인은 식구가 많은 탓이었어요.

그 사나이가 죽어 나가던 날

"여보 먼저 가우."

부인은 널만 쓰다듬으면서 울지 않았다.

무허가 주택들이 들어찬

산을 바라보며

아들은 고독을 미화한다.

평지의 집들은 철창과 철조망을 둘러

시민들은 수용소 소장과

포로를 겸하였다.

나의 그림자는 갤[犬]세.

대문 틈으로 내다본다,

메밀묵 통을 멘 소년이

사과 파는 어머니를

모시고 돌아가는 밤을.

"어, 불빛이 춥다."

관광 온 서양 할머니는 묻는다.

"우리는 총독이 과거에 지었다는

형무소를 구경할 수 있을까요."

"별은 어디나 있지요.

날씨가 매우 춥군요.

어서 실내로 들어갑시다."

그들은 간혹 물건만도 못하지만

기껏했자 물건인 당신들을 잘 안다.

태어날 생명에게 일러두어야지

"하 심심해서 유쾌하다"는 사실을.

그는 아버지 유품인

식민지의 회중 시계를

오랫동안 걸어왔었다.

전선戰線에서 돌아온

어느 날 수선공에게 맡겼다가

시계 보석을 다 도둑맞았다.

그가 세상에 나기 전에 샀다는 시계를

버리지 않음은 애착일까.

정지한 시계에서

강을 듣기 때문이다.

"보다 좋은 일을 위해서라며

나를 괴롭히지 말게.

내가 격한 소리를 하거든

웃어주게 나의 목소리로.

내가 미적지근한 말을 하거든

어깨를 툭툭 쳐주게 나의 손짓으로."

소용없는 하루

될 대로 된 하루

그 외에는 도리 없는 하루,

120

감방 문이 열리면서

단도는 죄수를 찔렀다.

흐르는 피는 유언한다.

"이히히히……히히히……"

단도는 응수한다.

"이히히히……히히히히……"

어디서 개가 짖는다.

언제나 그의 말은 자신이 없네.

언제나 그의 표정은 막연하네.

그는 언제나 답답하네.

나의 바둑 친구일세.

절명絶命이 합창하는 섬

배[船]는 지나갔는지도 모른다.

비가 항구에 내리는데

그녀는 나에게 담뱃불을 빌려준다.

"잘난 것이 너무 많아서

법이 날마다 번식해서

밥 먹는 것도 부끄러워요."

나무는 상가商街에 친절하다.

매일을 허송하기에

나는 늙지 않는다.

비[雨]는 불사조의 재[灰]

자반 생선이 되어버린 창

나는 썩은 바위

숨쉬는 무감각

보살의 목을 붙인 접착액.

길은 손가락에 열[開]리네.

열 개의 귀가 달린 사람

이백 개의 눈을 가진 사람

삼천 개의 입이 있는 사람

사만 개의 팔을 놀리는 사람

오억 개의 머리를 가진 사람

암만 봐야 분명한 나[我]로세.

버리는 힘으로서 나를 조성한다.

버리면서 속력을 낸다.

형무소 입주권을 얻듯이 절약하며

유료 목욕탕에서 여자들은 시끄러운데

'정변 실패 속보'로 쏠리는

전차 안 시선들,

활자 위에 두 줄기 선로를

깔면서 달리는 침묵,

동전만한 달은 혼선混線에 걸렸는데

저편 자리에서 화장이

얼룩진 촌색씨가 존다.

그는 아내의 등에 업힌

아기의 열熱을 지키며

남은 돈을 암산하고 있다.

침묵이 달리는 차 바퀴에 갈려 세포화한다.

나는 덜 마른 유화油畵 속에 누워

그녀를 생각하며

여러 가지 요리 중에서

특히 계율戒律을 먹었다.

벽에서 자학을 떼어버리고

자제의 꽃을 꽂으면

까마귀는 해를 싣고서 해저를 넘는다.

보면 부족한 것은 없고

들으면 충분한 것은 없다.

"아내야 배가 고프지, 그렇지."

"아나운서는 결코

자기 의사를 말해서는 안 되오."

"당신 지위는 형무소나

은행보다도 굉장하네요.

총들은 왜 당신을 호위하나요."

"나를 어중간이라고 꾸짖지 말게.

확실히 말하지만

아무래도 분명하지가 않네."

그는 고백한다 부정확不精確을.

그는 고백한다 불완전을.

한없이 부정否定하게

사는 일이 왜 부끄러운가를.

허구 많은 일 때문에

밥 먹는 동안도 부끄럽다.

무엇이 무엇을 다스리는지 아는가.

하느님만이 모르네.

강이 해를 이고 휘어드는데

목숨보다 귀중한 번호

목숨보다 귀중한 도장

목숨보다 귀중한 서류

진리보다 귀중한 돈

사람보다 소중한 법

무엇보다 귀중한 사랑,

그는 기입된 정점을 지워버리고

어느 날 똥을 누듯이 불행과 친하였다.

빨래를 하듯이 피로와 친하였다.

담배가 없어도 심심하지 않아

술이 없어도 심심하지 않아

나는 한자리에서

유희하는 해와 달을 본다.

예감은 계시한다.

감紺빛에 눈[雪] 내리는 여름 치마를 입고

첫사랑은 과거의 언덕에 돌아서 있다.

생활이 탕약보다는 쓴 편이지만

현미경으로 보아도

나타나지 않는 결심 때문에

그는 열차처럼 쓰러진다.

눈[雪]은 상한 능금[檎], 그래도

운이 좋았다고는 하지 말게.

그 대신 누구인가가

약간 속았을 따름이다.

쫓으며 쫓기는 세월,

그 약간이라는 차가

판매 엄금의 약 한 봉지만한 무게였다.

벽에다 창을 내는 사나이여

그럼 안녕!

즐거운 잎사귀들을 위해서

나는 거리距離를 수립해야 한다.

사람마다가 그 말을

다 다르게 풀이한다면

그것이 바로 정확한 나[我]다.

바람은 객주집에 와서

이태리 포풀라의 비를 뿌리네.

어제가 오늘같이 차창에 지나가는데

우리의 봄날부터 전쟁이 있었듯이

다음 세대는 우리를 잊을 것이다.

허공이 되어버린 광석,

좀 천천히 이야기를 해보자.

뒷걸음을 쳐서

결심을 다시 가늠해보자.

그러나 눈[眼] 있는 과실果實은

밤이면 타버려

아침이면 백지로 되살아나는 육신,

그녀는 날인된 자신을 신고해야만 한다.

그녀는 의심과 멸시와

조롱을 웃어넘긴다.

언제면 낭비에서 벗어날까.

내가 도둑질할 때

아랫목에서 웃던 아기는

지금쯤 대학에 다닐 것이다.

이 곶감은 미국에서 공부하는

내 아들에게 보내려 만든 것이다.

사는[生] 일은 지저분하도록 거룩하다.

슬픔을 개폐하는 다리[橋],

밤의 발광점發光點은

보살의 초생달 눈썹

기계까지도 인자하고

혼란까지도 덕성스럽고

매연은 복이 많아

말하면 없어지는 것

생각하면 어긋나는 것

그래서 허위는 거룩하며

과오도 아름다운

나의 명상.

안개가 바다를 영접한

계혈석鷄血石에서 걷힌다.

거짓말 탐지기로도 보이지 않는

마음과 대등한 비정非情에서

해가 떠오른다.

그런데 진실로 이상하였다.

바다는 줄어드는 감동으로

허공에 있었다.

우연은 선택을 허락하지 않았다.

그는 하루에도 몇 번씩 죽으면서

겨우 몸을 움직이는데

패자敗者 없는 승리는 어디에 있나.

너는 서명 없는 예술에서 쉰다.

하늘이 울 때에 초목은 활기를 띠듯

우리는 눈을 적시며

무거운 손으로 꽃을 피워

곡식을 거두어들인다.

해는 과수원에 저물어

병든 아버지는

아들들이 싸우는 소리를 들으며

눈을 감는다.

못에 축 늘어진

두루마기가 된다.

아버지는 지난 밤에 배[梨]가 용을 낳은

꿈을 꾸었는데 나중에는

뼈들이 세계를 만들고 있었다.

"하여간에 무관심하게

건강을 위해서."

살아서 좋을 것 없고

떠나서 언짢을 것 없는 위치에서

그는 기도를 여러 번 바꾸어왔다.

"아닙니다, 아닙니다.

모든 생명에 평화를 주소서."

날개가 없어지면서

그는 지팡이를 짚고

신앙 이전의 길로 들어선다.

그의 걸음은 진보와 후퇴의 경계를 지운다.

한낮의 그늘에서

그는 신뢰에 몸을 기댄다.

몸은 구름

마음은 우거진 산,

보이지 않는 곳이 다리[橋]였다.

흑인이 못 들어가는

교회당은 아름다웠다.

해골에 혈맥처럼 휘감긴 뿌리

열차는 뱀마다 전등불을 켠

지하 구내로 들어온다.

승객들은 어디서 왔으며

흩어져 어디로 가는가.

자정이 넘었다.

그는 차압당한 서폭書幅에서

추사秋史 선생과 논다.

창 안을 들여다보는

별은 눈썹 사이 백호白毫,

여자는 있으나 아내가 없는 남자

남자는 있으나 남편이 없는 여자

그들은 더욱 외로이 서로를 절도竊盜한다.

기계 장치를 붙들고

제 목을 조르는 기적汽笛은

미쳐버린 봄 섬은

칠기漆器에 날으는 별은

그것은 나의 미간백호眉間白毫,

고통을 대신 받았노라고 생각하지 말라.

구름은 흥분하지 않으며

다만 노할 따름이다.

시간은 자궁子宮을 쌓아 올린다.

그것은 그대가 아니며

바로 나[我]였다.

"제발 유명해지는 것만은 싫네."

부러운 것이 없는 언어를 찾아서

멀고도 가까운 곳을 밝혀야겠다.

"모른다는 소리는 암만 해도

부족을 느껴본 적이 없네."

외연外延과 내포內包에서 점화한

진주가 바다를 사룬다.

눈[眼]은 쇠창살을 붙들고 늘어진다.

나의 기도만은 신도 못 알아듣네.

"어느 모로나 못할 짓이라"고

말하지 말게.

관통상貫通傷에서 흐르는 젖[乳],

웃음에서 절명絶命한

무표정은 하늘인데

내년의 능금이 주렁주렁 익었다.

그는 의미에서 출발하지만

나는 무의미로 돌아온다.

서로가 가까워질수록 멀어지는 연분,

파도가 다시 분노를 무너뜨리며

다정한 손을 흔드는 바다 속

바다는 잎사귀들만 남아서 뛰놀며

죽은 손[手]이 공중을 헤엄친다.

소금은 별이 된다.

"어느 모로도 못할 짓이라"고

말하지 말라.

언제나 그러한 때는 없었다.

오고 가는 날씨를 보게

가듯이 오지 않는가.

나의 침묵은

전구電球에서 야채를 가꾼다.

그곳은 이상한 영역이었다.

누가 나의 밤길을 막아선다.

"오래간만입니다."

칼금이 사나이의 얼굴에 있었다.

"누구시더라."

"임任선생이시지요?"

"예, 그런데요."

"나도 임任이란 사람입니다.

그럼 다음에 또 뵙지요."

칼금은 나와 반대편으로 사라졌다.

"누굴까" 기억이 나지 않는다.

반시간쯤 뒤였다.

그 칼금은 언제 탔는지

전차 안 저편에 서 있었다.

칼금은 종점에서 내린 뒤로

줄곧 나를 뒤따라온다.

나는 몸을 옆 골목으로 피했다.

칼금은 담배를 피워 물더니

나의 집 쪽으로 앞서간다.

나는 그날 밤에 잠을 못 잤다.

"그럼 나를 추적한 것이 분명하다.

칼금은 누구일까."

그러한 일은 간혹 있듯이

역시 알 수가 없었다.

그는 왜정倭政 때 산속에서

징병 · 징용을 기피하였다.

누군가가 숲 속 길을 천천히 올라온다.

기억은 따라서 되살아난다.

"언젠가도 여기에 숨었을 때

누군가가 저러히 올라왔는데……

오오라! 그때는 국방복이 아니라

아래 절 은恩노장님이었지."

이상한 일이다.

은노장님은 언제인가 보았던 꼭 그때 그대로

주전자를 들고

지금 올라온다.

"은노장님은 약수를 떠 마셨는데……"

과연 은노장님은 미래의 약수를 그때 그 자세로

떠 마신다.

그럼 지금은 언제인가.

지난날도 앞날도

그에게는 동시同時였다.

지금은 어디인가.

나는 누구인가.

의문이 그의 정체였다.

기왕 이야기가 난 김에

하나만 더 해야겠다.

내가 그녀의 고향을 찾아가기는

난생 처음이었다.

그곳 경치가 언제인지

한 번 본 경치였다.

"그럼 내가 언제 왔었더라."

그러한 일은 없었다는 사실이

분명한 기억을 끌어냈다.

"산기슭을 돌아 나가면

비각碑閣이 하나 있었는데."

가을빛 도토리나무들 사이로

돌아 나가다가 걸음을 멈추었다.

과연 오후의 면화棉花밭 구석에

낡은 비각이 있었다.

언젠가 부엉이는 울더라고 생각나자

부엉이가 마을 뒷산에서 운다.

그녀의 집에 가서야 알았다.

그날이 그녀의 기일忌日임을.

여객기에는 흙이 없듯이

부정否定을 부정하는 세계 일주

역설을 역전하는 유리 컵 속

반쯤 따르어진 술에

떠오르는 달

나는 그녀와 함께

그 달에서 들국화를 꺾으며 놀았다.

여자는 취하자 속삭인다.

"아버지는 죽을 때 총각이었대요.

엄마는 처녀로서 과부가 됐거든요.

알 수 있을 것만 같아요.

난 여덟 살 때 의부義父에게

파열상破裂傷을 당했어요."

잿더미에서 날아오르는 단정丹頂

기旗가 휘날리는 허무

이면에 자라난

그날은 가면과 예술.

그녀는 웃으면서 속삭인다.

"난 거짓말이라도 존경해야지

살 수 있는 걸요."

그녀의 웃음은 견본들을

여러 가지로 전시하였다.

사나이는 일어서면서 대답한다.

"이만 용서해줘요.

난 실어증 환자입니다."

어디선지 또 성인聖人을

다량으로 만들 계획인가 보다.

투영投影이 피를 흘리면서 온다.

누가 하기 싫다는 사람들에게

성인聖人이 되기를 강요하는가.

찾으라 칼금의 공간을.

우리는 입과 눈을 잃었다.

그는 찢어진 사이로

눈동자에 들어간다.

그곳은 한 그루 나무와 샘물,

몰입하라 영영映影으로.

병瓶에서 흘러나오는 호흡,

쏟아져 나오는 노래를 감아도

서로가 반 조각인 우리는

몸부림친다.

무화과나무는 치마를 쳐들며 분노한다.

허무가 보석인 밤,

그러기에 그들은

문이 열리기 전

아침 미술관 안처럼

늘 대화하고 싶었다.

그러나 그들은 깨어진 밥그릇이 되어

비를 맞는다.

생각은 반신불수

몸은 숯[炭],

제신諸神은 형무소에서 산다.

나는 게으른 교복을 입고

어리석은 짓을 필사적으로 배우고

표정 없는 얼굴을 실기實技한다.

비상식적인 말을 위해서

침묵한 귀를 예찬하면서

금강석의 세월을 만들면서

건강을 유지하기 위해서

그러고도 신문을 받지 않는다.

내리는 비에 불을 당기어

노래 부른다,

수면제 모양의 노래를.

노래는 소일한다,

나의 세계를 만들면서.

배는 고픈데

늘어만 나는 무기,

바퀴소리 바퀴소리 바퀴소리

그는 괴로움을 멸시하며

그녀는 슬픔을 비웃으며

이인승 자전거로 달린다.

죽은 친구의 목소리로서

그들은 노래한다.

　　난 누구의 손에 의해서

　　너희들을 떠났는지 모르네.

　　어떻든 구조되었네.

　　향초香草에서 우유를 짜며

　　그녀와 함께 늘 노래를 부르네.

　　참으로 난 잘 왔네

　　라라 라라라 라라라……

　　라라라라 라라라……

그래서 매우 유쾌했다.

그들은 아무도 미워하지 않는다.

"결론을 갖지 마세요."

"쉴새없이 변해야 한다.

그런데 여기는 어딘가."

"묻지 마세요.

풍경은 달리고 있어요."

숲에서 돋아난 잎들이

태양을 몬[御]다.

그녀는 면목面目을 보지만

동네 사람들은

그녀를 지적하지 못한다.

마약 환자는 벽 뒤에 몸을 숨기고

손만 장모에게로 내민다.

"안녕하세요, 장모님."

행렬이 다리를 건너는데

피는 유동하지 않는다.

"나의 것은 없다."

우리는 노래한다.

산송장은 허무를 극복하며

꿈나라를 건설한다.

산송장은 공포를 극복하며

믿음을 생산한다.

백월白月한 고도孤島의

정신의 깊은 그늘을

그들은 노래한다.

"주저하지 말게."

수목들은 스스로를 이루면서

여지없이 버린다.

어깨들끼리 비벼대는 사이로

월급만으로 살아가는 기적의 도시에서

우리는 누구나 신사일세.

돈과 거짓을 찬송하라.

정면正面하고 속삭인다.

"꼼짝달싹 못하겠군."

그림자는 물러서며 외친다.

"아이 질려."

엉망진창인 발자국은

유익한 책,

그러나 책을 닫았을 때

내용은 시작하였다.

물고기는 물이 필요하듯이

그는 말을 하지 않는다.

핏발이 뻗는 한밤중에

알[卵]은 껍질을 벗었다.

피에 서 있는 자기磁器

불안 진정제로서

자기磁器는 죽음을 생각한다.

아직도 그는 더러운 벽에 기대어 서서
모조품 평화를 감상 중이다.
시침時針이 도는 눈동자에
바위가 손짓한다.
그는 얼굴을 두 손으로 가렸다.
구름은 백오십오 마일에 오가는데
항상 죽인다.
증오의 목을 비틀 때마다
천둥 번개를 뚫고
봄비는 내린다.
이야기를 과도로 찌를 때마다
자라나는 날개.
친구여, 모든 세상
손가락 사이마다
해가 뜨네.
잃어버린 보살이
내 마음에 앉아 있네.
비행기에 실려 바다를
건너는 보살의 미소.
거울은 미소하네
감사하지 않아도 좋을 정도로.

4곡四曲

누구인가

모형 시체 앞에 모인 생각들이

이천 년의 창에서

아직도 끝나지 않다니.

세 번을 부정했던

사이렌소리와 전등불은

어디서 무엇을 하는가.

곡식이여,

같은 피의 시간에서

무엇이 무엇에게

성인聖人이 되기를 강요하는가.

나를 생각으로 재는[尺] 짓은 헛수고였다.

지하실에서 빗소리를 듣는 공간.

너는 다른 사람과 함께 역驛이며

돈[錢]처럼 뿌리만이 아니었다.

끝없는 집들 너머

바다 안에서

죄수들의 아름다움은

세계 각처마다 해로 솟는다.

기계가 아닌 그는

막연한 자세로

들리지 않는 소리를 듣는다.

그가 남을 보듯이

남이 그를 보듯이

나는 나를 듣는다.

황금이 법인 날에

비정이어야 함은 누구인가.

모발이 성성星星한 화차火車는

뚫어진 가슴에서 망향望鄕인데

한계보다 넓은 생활이

부단히 말[言]을 찾는 거리[街],

매일을 허송하는 밭고랑에

의치義齒와 물가物價와

열쇠 꾸러미는 풍년이었다.

소[牛]가 흙벽에 나 있는

건널목을 건넌다.

숲을 지나가는 불의 음선音線,

누구나 죽음 앞에 공평하듯

가난한 주민들은

옛부터 소망을 안다.

"여러분, 이 사람을."

빛이 서로 꼬부라져 솟은 산들

죄인이 사는 곳이면 성聖센터

그 나라는 성지聖地였다.

"당신을 다시 어린 아기로

환원시켜주마" 한대도

누구나 마다할 것이다.

다시 시작하지는 않을 것이다.

신을 만든 이상

더 바라지는 않을 것이다.

수의囚衣는 연꽃으로 하늘거리며

미움을 미소하는 거울 앞에서

배[梨]가 온몸에 익는 동안

수면睡眠도 주저하는데

노우트에서 사라진 언어를 위하여

기계들은 어디서 흐느껴 우는가.

핏빛 잎은

우울을 벗은 백치는

투명한 발은

두터운 벽을 드나든다.

"하고 싶은 말을 하게."

"무슨 짓을 해서라도 살아야 하네."

"당신은 감옥에 들어가서

냉각冷却한 분노의 옥좌에 앉게나."

지학紙鶴은 기억을

지우면서 날아가다가

비바람에 몰려

하수구로 침몰한다.

남긴 울음은

고층高層 정상의 달이 된다.

그는 그를 버리며

불가능한 가능이 된다.

나는 나를 버리며

호흡이 된다.

콤팩트를 닫는 부인,

바깥은 겟날이었다.

"개 도둑을 주의하오."

만국기들을 내건 전시장입니다.

"요건 착하지만 어리석군요."

"영리하고 매서운 놈도 있어요."

그들은 도둑맞은 개들이다.

"마님, 우리는 이틀 전에

저녁을 얻어먹은 짐승들입니다."

한 방 총소리에

개처럼 굳어버린 막내동생,

그날 흘러내린 피는

아직도 살아 있다.

감은 눈에 떠오르는 모습

뜬 눈에 보이지 않는 곳,

전시장은 유해遺骸 없는

초상집처럼 성황이었다.

방탄 유리에 날아온 섬과

달나라에 굴러 있는 인공 파편이

그의 서재에서

주전자의 물 끓는 소리를 내는 한낮.

부모와 밥[飯]이란 말이

불혹不惑을 넘은 누선淚線을 연주한다.

광명은 벙어리의 눈에 생기며

평화는 벙어리의 귀에 깃들며

벙어리의 입에

모든 언어가 귀를 기울인다.

새[鳥]가 능금[檎]에서 나와

물결에 솟은 옛 성城은

미소하는 주름살,

"그는 어디로 갔나요."

"이건 떠나간 배[船]의 모형입니다."

여자는 속치마까지 벌리며

미스터 리李와 도박을 하다가

비[雨]짝에서

해외 남편의 코고는 소리를

상상하며 웃는다.

"웃지 말고 마담, 어서 내놔요."

"진정하라구요. 누가 할 소린데.

미스터 리, 이건 이거고 그건 그거지.

안 그래? 귀염둥이 서둘지 말아요."

신神을 만든 미스터 리는

신과 같은 후회를 한다.

"이李도령, 무슨 남자가 이럴까.

속 시원히 덤벼봐요."

살기만 하면 소원이

없다던 6·25처럼

"마담, 어디 마음대로 해보세요."

다음 장을 던졌으나

화투장은 젖혀졌건만

역시 변화가 없었다.

"여러분은 마음대로

생각할 시간입니다."
시간이 없는 바다를 건너온
배우가 이승을 향하여 독백한다.
"나와 미스 박朴은
집안 승낙을 얻으려
값싼 여관방에서
음독飲毒 연습을 했었는데
그런데 도대체 이곳은 어디인가.
나 혼자서 왔다니
그럼 미스 박은 어디에 있나."
불이 장내에 켜지자
무대에 한 길이 넘는
해바라기가 솟았다.
밀어닥치는 박수 갈채,
미스 박은 관람석에서
어떤 중년 신사와 함께
옥수수 튀김을 씹고 있었다.
"여러분이 마음대로
생각할 수 있는 장면입니다."
성직자는 손을 씻은 다음
순금 십자가 앞에 꿇어앉아
유산 경험이 있는 미스 박을 탄식하고

방에 돌아와서 포도를 먹는 중이다.

"우리 마음대로

생각할 수 있는 시간입니다."

잎사귀는 젖꼭지를 영역領域하고

꽃은 아기를 위해서 지는데

불로 목욕하는 남·여들,

정확한 목적의

충분한 상실喪失,

방송실의 목소리는

각광脚光의 무인 지대에

비 내리는데

살아 있는 침묵

차별 없는 이야기들을 보게나.

어린이는 순수하며

무덤은 공평하다.

싸우라, 교정交情처럼.

다리[橋]는 목표를 향해 걷고

배[船]는 자신에 침몰하고

공중에서 식사를 하는 물고기들.

범람하는 선인장

죽음을 당한 신앙,

시계는 사람이 없는 길거리에서,

온갖 언어로 구축된

백화점 안에서 역행한다.

나는 나를 찾아다녔다.

모르는 것을 주십시오.

아마 그것은 아름답고 그래야만

나는 깨달을 것입니다.

눈먼 어머님을 속입시다.

정신 병원에서 웃는 김金을

월남 여자와 놀았다가

영창에 들어앉은 정하사鄭下士를

데모에서 외아들을

잃은 최서장崔署長을

서독 광산에서 떠메어 나온 이학사李學士를

아군과 적군이 공통하는 모국어를

이민지에서 제왕절개 수술을

받는 순이 엄마를

마약 환자인 대감大監을

귀먹은 아버지에게 속입시다.

누구의 잘못이라고는 맙시다.

더구나 결작이라고는 맙시다.

우리 함께 생각합시다.

"자 지금이 기회입니다.

그 대신 언제나 기회입니다."

삼동三冬에 삼베 속옷을

입은 아내는

나의 귀중한 비밀이었다.

과거로 나 있는 길

해가 유혈하는 철조망

"젊은이여 조금만 더 참게.

천국의 입구일세."

가난한 아버지의 피색皮色에서

시골 어머니의 윤곽에서

허탈한 무기

늙은 평화.

땅은 날아

하늘이 뒤집히면서

움직이지 않는 시간에

폭탄을 투하하는

아들의 실내 체조는

연신 폭파하였다,

수많은 감정을.

그들은 침묵으로써 대화한다.

표정이 말[言]로 변하면 죽는다.

비누 거품은 배가 고프다면서 꺼지고

밥상은 불평을 하다가 없어지고

벽은 신음하다가 사라지고

옷[衣]은 웃다가 없어졌다.

내가 하품을 했더니

주위는 한꺼번에 사라졌다.

의사는 박물관으로 실려가는

나를 보고는 당황했다.

그날 밤에 물고기 비늘이 돋은 나는

철문을 열지 않고

굴뚝으로 빠져 나왔다.

그의 시는 걸레인 것이다.

지린내 나는 벽

비옥한 상처의 세균들

오물들이 지키는 은하에서

피가 내배는 창窓으로

우리의 사랑은 역사가 없다.

그늘에 칼을 꽂은

가해加害는 수감되어

피해被害는 산부인과에 입원하였다.

마침내 그들을 영접하는

재판소의 음악,

그들의 꿈이 이루어진 날

태양은 형벌을 받았다.

그들은 빼앗기고서

사랑이 됐지만

교통은 말살하면서

사랑을 찾아 늘어졌다.

분명히 알 수 없는 것은

끝없는 외경

고구마와 금반지가

서로 잡은 손[手]이

진눈깨비 내리는 가게 앞에서

어린 인형과 속삭인다.

물과 황혼에서

관점은 철교,

떨어지는 잎사귀는 세계어,

진통하는 흙에

무릎을 꿇어

증언은 합장한다.

성인聖人은 범법자

성인은 매음굴

성인은 도망객,

처녀의 아들은 아니며

왕자는 아니며

재취再娶의 아들은 아닙니다.

음악에 꽃씨를 심었더니

어느 날 밤에

성장盛裝한 벌레들이

빌딩으로 속속 모여들었다.

귀한 손님들이었다.

나는 고층高層에 필사적으로

매달려 있었다.

여러 가지 지식이

눈[眼] 안의 통로를 틀어막았다.

시험 문제에서 추락한 시체들이

하수구에서 일어서는 하품소리,

화분花粉은 바람에 날려 먼지로 쌓인다.

수많은 시체들로

미화한 깃발이

하늘을 가리면서 가버린 뒤

나팔이 등불에 그림자를 걸어

회상하는 너머로

황야가 노래한다.

비바람이 몰아친다.

사람들은 변하지 않아서

방법만 변한다.

당신은 잘못을

합리화하는 천재

나는 괴로움을 수시로 암살하는 명수,

그는 분노하지 않는

부분에 불과하였다.

나는 가짜 성인聖人

그는 흐뭇한 고독,

너는 혼란을 감상하는 학문이었다.

거리[街]는 성인이었다.

어둠 속의 바람이었다.

돌의 불이었다.

실직자가 구경하는

늙은이들의 재혼이었다.

외국에서 돌아오지 않는 딸이었다.

명동 증권 시장 구석에서

고무나무는 스스로 고국이지만

딸은 여객기에서도

흙이 없는 화분이었다.

지하실에서도 흙이 없는 화분이었다.

비교해서 자아自我이지 못하고
착각임을 알아야 하는가.
이론의 교통 사고들,
노선은 운전사의 머리를 동여맨다.
진열창에 반향하는 소녀
그 옆얼굴에 저무는 고향의 해,
물은 그러한 때에도 용납하며
어디서나 잡히지 않았다.

그러나 피는 돌이 되고
마개를 잃은 병,
촛불이 눈동자에 켜진다.
"제발 감동을랑 강요 말며
뭣보다도 감동을 믿지 말게."
범죄는 예술
합장은 시궁창에 핀 연꽃
슬픔은 다정하며
고독은 너그러워
괴로움은 지식인 것을.
지난날의 술집과
항생제로 길러진 진열품들은
부재로써 빛나

별은 명령을 처형한다.

그녀는 먼 길[路]에

손을 감는다.

석탄에서 나온 모피,

사람들은 이것도 저것도 아닌 거리距離에서

재[灰] 속을 헤엄친다.

평제탑平濟塔*은 김유신金庾信의 눈을 뜨더니

시민들을 비쳐 본다.

백오십오 마일의 압록강이

무명 전사戰死들의 눈을 감겨줄 때

다시 피는 순환할 것이다.

유리창에 필사적인

그림을 그리는 나비,

숯불로서 피어 오르는

화분花粉을 위하여

평화상 뒷면에

밤은 깊다.

아름다운 허무와

풍부한 슬픔은

그를 위로하며

나를 휴식한다.

그는 변소에 드나드는 정도로

꿈과 친하되

걸레처럼 피곤하였다.

나는 나만의 시간을

애써 주워 모아 평화를 제작한다.

산이 호수와 입맞추는

절망의 희망 정도로,

꽃나무가 창문을 가려주는

희망의 절망 정도로,

우리는 믿을 일이다.

우리는 태양 아래서의 공통어와

사람들의 성묘를 믿는다.

파괴가 해결이라면

바랄 무엇도 없다.

총과 세계어 사이로

타오르는 숲을 벗어나는 황새.

"참기란 싸우기보다 어렵다."

"사실입니다. 허나 상대가 없습니다."

남들은 부러워한다.

종교가 경영하는 학교에

그는 취직하였다.

슬리퍼와 송곳과 철필은

선생 각자가 마련해야 한다.

첫번째 월급은

신문 구인 광고료가 제해 있었다.

바람이 약간만 불어도

밥줄은 날아간다.

친구들은 부러워하지만

그는 뭐가 뭔지 아리숭하였다.

자식놈은 기껏 한다는 소리가

"엄마, 담임 선생 찾아가봐.

큰 애를 앞혀서 앞이 보여야지."

아내는 들어보라는 듯이

"너의 선생님도 병원에 가실

비용이 없는 게로구나. 어쩌지."

여러분 나는 미안합니다.

구름은 군도群島의 행진

구름은 연인들의 창,

환자는 따분해서 바람을 만든다.

의사가 병을 앓듯이

병은 태양을 완성하였다.

비[雨]는 녹綠빛 우산을 펴는데

방부정防腐艇은 끊어진 다리 밑에서

물살을 헤친다.

연위공영락年位共零落*

시신시궁인始信詩窮人

난파했을 때

청년은 경마에 빠져들어가

능금으로 표류하면서

여자의 집을 찾는다.

진부득상합進不得相合

퇴부득상망退不得相忘

어느 날 비바람은

무명 전사 묘지에

한 점 피를 투하하였다.

결발동침석結髮同枕席

황천공위우黃泉共爲友

루즈벨트 · 스탈린 · 처칠은

지금 어디서 무엇을 하나.

분단할 나라가 저승에도 있는지.

척피기혜陟彼屺兮

첨망모혜瞻望母兮

모왈차여계母曰嗟予季

행역숙야무매行役夙夜無寐

상신전재上愼旃哉

유래무기猶來無棄

160

무선無線과 별,

그것은 유색 눈물의

수평선의 씨앗,

자기 눈을 보는 눈이다.

"아 여보세요.

안녕하세요, 들립니까.

상품보다는 예술을

폭리보다는 평화를

기계보다는 생명을

결심보다는 모색摸索을

욕설보다는 침묵을

뭐라구요. 잘 안 들린다구요.

옳은 일이 너무나 많아서 탈입니다."

거울 안의 눈동자는

치사스러운 태양이었다.

전자 계산기는

허무를 간음했다.

그는 부끄러움을 암살하였다.

나는 뒷문으로 나와서 불[火]을 마셨다.

가도 가도 지리하게

타버린 밭에서

담배잎은 자라났다,

가버린 자에 대한 축복과

살아 남은 과오를 위해서.

다시 변한 계절의 창 밖으로

하늘을 잃은 날개

바다가 없는 조개

굳어버린 구름

넘어 박히는 손,

기도는 창 밖에서 비 내린다.

젊음이여, 언제면 결혼할 수가 있나.

때묻고 얼어붙은 눈이

못에 박혀 끈질기게 웃는다.

황홀한 피곤은

누울 곳이 없다.

필요한 것은 돈

사람은 가치가 없었다.

그는 서 있는 병실

구름의 음악

바람의 색채

발성되지 않는 시,

병원은 졸다가 소스라쳐 놀란다.

방부제를 수확하는 일손들,

그녀의 소망은

유행 옷감에 지나지 않지만

치마가 찢겨 떨어지는 하늘

깃발 쪼각들 지도 쪼각들

웃기지 맙시오.

아편 전쟁이올시다.

그림자에 싸인 태양

손[手]은 무성하였다.

얼굴이 하나씩하나씩 떨어지는

나무는 창마다 별을 켰네요.

"자살을 단념하고

아름다운 교도소로 갑시다."

"누가 우리를 교도하나요."

"제왕처럼 의 · 식 · 주가 해결되지요.

축복할 시간입니다.

밤 하늘은 풍년이지요.

가서 다시 위선자가 됩시다."

나무통에서 나오는 흑인 영가,

책장마다 찬란한

네온사인의 거리에서

색시 장사를 하는 집의

갓난아기는 천사로서 잔다.

바깥에 내리는 흰 눈은

이차돈異次頓의 죽음,

사랑하는 남·여가

내일의 공원에서

서로의 그림자를

끌어안은 동안,

냇물은 흐르면서

나를 주워 모은다.

나의 친구는

낡아빠진 구두,

곰팡이처럼

생생한 아침이다.

눈[雪]은 결실하여

우리는 세상을 감탄한다.

"내버려두게

돌아온 무한일세

돌아온 무한일세

자, 들어보게나."

그는 보이지 않는 소리를

주워 모은다.

도피는 밤이며

동시에 새벽이었다.

전차소리는 돌[石]로 쌓인다.

모든 철물은 증발하여

여자는 약속 이후에 떠났지만

그 이전이 전부이어서

시가市街는 차단되었다.

울음이 흐르는 곳마다

물은 나[我]였다.

도박장의 성당.

"나를 도우소서."

돌이 날개를 편다.

여기서 저기까지라고 하지 말라.

여자는 전부를 잃어서

다른 남자를 발견한다.

남자는 돈을 잃어서

다른 여자를 발견한다.

그들은 하나가 되어

그 하나를 부정해야만 했다.

별이 낙엽지는 피,

태양이 열린[實] 항공로로

시간이 시체에서 일어서는 사이로

그는 도둑이 된 덕분에 살아왔다.

그의 허위는 보석

그의 신앙은 벌을 모른다.

불을 바른[塗] 집이 있기에

나는 들어가보았다.

그는 내가 되어

미닫이 가에 앉아 있었다.

여자가 들어와서 말한다.

"우린 헤어질 수 없어요."

남자의 하품소리.

그리고는 다양한 눈동자와

허리의 강,

시침時針 없는 태양이

벽에 걸려 있었다.

만년필은 생각을 지우면서

말씀을 낳아

방은 지저분하였다.

현대의 득실을

바다의 화염을

문명이 없는 자유를

가난한 온옥溫玉을

사형이 없는 나라를

허구인 예술을

수입 없는 노력을

166

제목 없는 자기磁器를

그는 만들고 있었다.

길들이 일어서면서

운율韻律하는 빛

심호흡을 합시다.

역驛들의 시계는 일제히 심호흡을 한다.

그는 위장하기 위해서

담담한 표정을 지었다.

그림자보다 가까운 육신

육신보다 가까운 모호성,

창 밖을 지나가는

또렷한 모호성을 예찬한다.

아기들은 새로워

무덤들은 공평하였다.

빗줄기에 쪼개지는 얼굴

상처마다 생기는 생명이 서로 겹친다.

사랑이면 그만이듯이

돈이면 그만인 줄 아는가.

세관細管마다 일몰하는 산

가슴마다 벌떡이는 전선電線들,

모공毛孔마다 태풍이 불었다.

그는 육박한다.

노래에 나타난

달은 늙었다.

지구 둘레에 둘러선 머리카락들은

하늘을 안은 빛,

장독의 땀구멍과

벽의 눈,

아으 다롱디리,

내가 죽인 병사를

잊기 위해서 차 차 차

내가 버린 여자를

잊기 위해서 차 차 차

내가 가로챈 공금을

잊기 위해서 차 차 차

나의 일을 타인의 일로 알며

타인의 일을 나의 일로 아는 눈[眼].

어떻거면 구경꾼들을

웃길 수 있을까

답답한 가슴이여.

어떻거면 구경꾼들에게

위로를 줄 수 있을까

메마른 생각이여.

어떻거면 나는 시간처럼

남이 될 수 있을까

부재의 시여.

나는 흠 없는 발[足]이었다.

"배추나 무우 사요."

골목을 돌아나가는

목소리는 시장[飢]한데

동네는 적막하였다.

문제는 안팎으로 열쇠 구멍,

누구에게나 열리지 않는 문이었다.

누구에게나 아기는 풍만하여

누구에게나 죽음은 인자하였다.

하늘은 참을 줄 알아서

노래는 우산과 달걀만도 못하네.

손은 손을 잡지 못해

얼굴은 얼굴 뒤에 있어

가면은 모발뿐이었다.

책장이 넘겨질 적마다

총소리는 났다.

뚫어진 머리에서

지화紙貨는 쏟아져 나왔다.

뚫어진 젖가슴에서

비둘기는 날아갔다.

아내가 정부情夫를 돌아본즉

넥타이만 못[釘]에 매달려 있었다.

남편이 정부情婦를 돌아본즉

나이론 양말 한 짝만 서 있었다.

나는 책을 덮고 웃었다.

범인犯人은 자랑을 잃자

그녀를 끌어안았다.

여자는 눈을 감고도 행복하였다.

"정오 뉴우스입니다.

경찰은 쌀 두 말[斗]에 아들을 판

여인을 구속했습니다."

외국제 라디오에서 나오는

국내의 소리,

지각한 시계가 정오를 친다.

도금한 나비들이 책에서 나와

무허가 주택 지대를 뒤덮는다.

어처구니없도록 고요한 백주白晝였다.

나는 다리[橋] 난간에 서서

물 사태를 보는데

아기는 나의 스승,

바다가 낙엽진 뒤

과실들이 노래한다.

그는 언제나 정확하기를 강요하지만

복성福性스러운 아내는 언제나 너그러웠다.

동네 아이들은

달 아래 산 위에서

손뼉을 치면서 노래한다.

고아는 절벽에 앉아

그 다음째 아이가 되어

행복하게 죽는

예비 연습을 하는 동안에

점점 아침이 되었다.

다음 고아는 다음 자리에 올

아이를 기다리고 있었다.

거리距離는 비상飛翔

휴식은 충만

눈[眼] 안에 서 있는 고가선高架線,

젖[乳]이여,

한 줄기 생각이

어째서 떠는지를 아는가.

바람은 표정表情한다.

너와 그가 그 뜻을 알기 때문이다.

구름이 쌍룡雙龍의 입에서 피어 오르는

녹綠빛 자종磁鐘의 깊이에서

석불石佛 사진에서

나의 피를 듣는 동안,

배고파 보채는 아기를

굽어보는 어머니처럼

병원에 못 가는 손짓처럼

감방에서 꿈을 꾸는 잠꼬대처럼

죄수는 아름답고 성스러운

거룩한 시대를 산다.

어느 날 수레에 실린 시체를

밖으로 내가는 종소리

우리는 이천 년의 창에서 바라본다.

함박눈이 내리는 형무소가

떠나가는 그를 예배하고 있었다.

5곡五曲

심심하면 연탄과 난초는

일식을 되풀이한다.

"피곤하실 텐데

이거라도 좀 잡숴보우."

"뒀다가 애들이나 주구려."

변소 안은 평화하며

거리[街]는 흔들린다.

젊은이들은 흔들리면서 만난다.

"결국 소원은."

"당초부터 모를 분이었어요."

"그래서 마음에 들었단 말씀이군."

"우리 어디 가서 식사나 해요."

"뭐고 할말이 있을 텐데."

"글쎄 내일 도착한대요."

젊은 남·여가 남긴 대화는

비오는 우체통이었다.

하늘로 뻗은 나무 뿌리였다.

각기 다른 하나의 문제

그것은 자는[眠] 일이다.

뚱뚱한 별은 달리는 열차 안에서

졸고 있었다.

기억은 거울에서 쏟아져 나와

손[手]들은 검은 창에 떼로 몰려와

빗물로 흘러내리더니

무과실無過失 책임이 나를 끌어내어

햇빛을 안기더니

비[雨]는 눈[眼]이고

돌은 재[灰]였다.

상실은 점령하였다.

역驛들은 의심하다가 염려하다가

둔감하려 애쓰면서 믿는다.

구경꾼들은 아직도 비극을 감격하는가.

당신을 대변하는 줄로 아는가.

전쟁은 언제나 연애 중에 일어났다.

"건물이 서기 전은 고양이와

쥐가 썩던 연못이었네."

"왜 간판이 없나."

"여기는 공설 시장일세."

공장 아가씨의 소망을 전시한

황홀한 옷감들 앞에

철사 그물 밖에

그림자들은 땀을 신호하며

복도를 끌어놓는다.

"기자 여러분은 조용합시오.

그는 마지막 식사 중입니다.

시간은 얼마 남지 않았습니다."

닭이 어디서인지 울면서 쓰러진다.

황혼은 수신망을 폈다.

아들은 요즈음도 깁어 붙인

얼룩 지도를 입고 있을 것이다.

나무는 근심하는 한 솟을 것이다.

시멘트 병원은 빈혈이어서

그는 헛소리하지만

그녀는 살진 교도소였다.

방안은 난초의 말씀

바깥은 군용 기지

싸움은 벗어나는 문

교통 사고는 출발역,

그들은 친절하였다.

"난 행복해요. 내가 없다고

가정한 때 말이에요."

물은 노처녀의 종아리를 쓰다듬는다.

과거는 앞에 누워 있었다.

방안으로 번지는 먼 소나기

밤은 울창한데 개는 죽어 있었다.

언제면 그녀에게서

아침은 출발할까.

꿈에 매달린 우거지에서

누구인가가 나오더니

대문을 나간다.

"누굴까."

"글쎄요."

서로가 미워하는 까닭이야 많지만

결과는 뻔한 수가

기다릴 사이도 없이 벌써 그러하였다.

차별당한 목숨은

수많은 달나라에서

나무를 심고 있었다.

어머니의 유열釉裂진 손의

땀과 십장생十長生,

젖내 나던 삼베 적삼 빛깔의 고향은

대자대비 관세음보살,

그의 혈관은 시간 밖에

계시는 부모님과 통화한다.

폐품이 드리는 기도였다.

그러나 태양표 술에 독을 탄

마담은 웃으면서

손님과 외교관식으로 마시네.

그들은 꽃빛 새소리를 따라

젖빛 안개 속을 간다.

경찰도 그들을 뒤쫓지는 못했다.

석간夕刊에 걸려온 남자의 목소리

"우리가 없어졌대서 그만 떠드시지.

이곳은 다르니까요."

"잠깐 지금 어디에 있지요."

"당신 등뒤 창의 활엽수에 있소."

기자는 마담과 바꿔달란다.

"이번 동기에 대해서 한 말씀."

"그분과는 초면이었어요.

우린 방금 결혼했어요."

그리고는 웃음소리

통화 신호와 살랑이는 나무 잎사귀들

"여보세요, 아 여보세요."

언제나 살랑이는 나무 잎사귀들

계속하는 통화 신호

어디서인가 웃음소리

낙서하지 맙시다.

가도 가도 길 양쪽으로

잎사귀가 자라난 해골들에게

쫓기는 정기 버스

"미안하다. 미안하다."

어디서나 혼자인 나그네는

시골 아이들의 눈치가 살펴서

황혼만한 사탕이

목에 안 넘어가네.

"바른 자는 잠드느니

천당은 너의 것이니라."

장님은 난초를 연주하며

침묵은 가득 찬 손[手],

물은 꽃피는 태양

"아직 끝나지 않았습니다."

"무던히도 진실하군."

"해결은 언제나 없습니다."

"오래 살겠군."

기적汽笛은 보이지 않으나

손톱 사이 때[垢]와

오곡五穀은 친하였다.

결말 없는 해결

해결 없는 결말

그는 결정을 거절한다.

오줌이 마려웠다.

"출발 시간입니다."

내가 자신에 갇힌

벽에 구름은 떠오른다.

신호등을 바라보는 색안경

은혜는 멸종했는데

갚아야 할 의무만 남아 있어

땀구멍이 통로通路한다.

내생에도 호젓히 숨은 옥玉,

다시 처녀일 아내야.

구름 피는 옹달샘에서 서로 만나

우리는 믿자.

비는 천정에서 새는데

시계는 쾌청이었다.

갇혀 있는 아내는 나를 위로한다.

실패만 하고 돌아온 나는

아내에게 감사한다.

안팎은 틈이 없었다.

내가 이와 같음을 듣사오니

진실은 몸에 해롭다더라.

날마다 상하지 않으면

그리고도 생명인가.

손은 하늘에 알을 낳아

불안한 날개는 노래하며

사랑은 한밤에 불[火]하였다.

가난이야 무슨 죄가 있나요.

쇠고랑형 양심을 버릴 수가 없네.

겨울 나무들은

잡아가는 잡혀오는

그들을 축복한다.

생선 아가미의 새벽이여,

우리는 책보다 정확하네.

임산부의 눈동자에

가난한 숲에

중립국의 창에

봄비는 오고 있었다.

고려 충선왕보다 팔자 좋은

구두닦이 소년의 얼굴은

깊고 좁게 골목져서

비둘기를 쳐다보며 휘파람을 분다.

고급 요리는 소년을 외면하였다.

비둘기는 천백억화신千百億化身·하는 창으로 창으로

창으로 날아오르며

점점 없어지더니

날개짓만 남는다.

침대의 벗은 남·여는

창 밖에 와서

날개 치는 아기를 본다.

어느새 조그만 비닐 봉지 안에서

천사는 숨겨 있었다.

무더운 크리스마스여,

그림자는 목을 숙이며

골목을 걸어 나가지만

목적이 없는 때가 사랑이었다.

"걱정이 미소하려면

시작하기 전이라던데요."

"천만에 말씀,

어제는 내일입니다."

골방에 숨은 은행 강도는

지붕으로 올라가

헬리콥터를 탄다.

휘파람을 불며

온 시내에 지폐를 뿌린다.

그러나 은행 강도는

여전히 골방에 누워 있었다.

그는 자기 이마에

장난감 권총을 겨눈다.

방아쇠를 오락적으로 당겨본다.

벽이 열리면서 하늘은 닫힌다.

꽃빛 새소리는

그를 젖빛 안개 속으로 안내한다.

은행 강도는 그날 석간에서

머리를 거꾸로 세우고 웃고 있었다.

학교 상장賞狀은 칠 년째 자는 중이다.

사람들은 길을 걷다가

한낮의 자기 그림자로

정확히 투신한다.

그들은 없는 것만 소유한다.

가방은 주인을 핥아

땅은 섬이었다.

가정家庭은 여자가 없었다.

병은 말끔히 나아서

장의차가 지나가는데

서로 목례합시다.

목멱木覓의 시선 안은

집집마다 아기를 환영하네.

얻기 위해서 버린다.

무엇을 버리며 무엇을 얻는가.

그처럼 잃으면서 얻고 있었다.

골목은 걷는데

벽이 노크한다.

거지의 눈에 펼쳐진

인공 위성은 한 줄기 벼 이삭,

그는 생각을 잃어

하늘이 된다.

제정신 가지고는

못 산다고 하지 말게나.

어떤 이는 문을 만드나

입이 없었다.

그가 군복을 벗어

여자 앞에 무릎을 꿇었을 때

셋방은 기도하였다.

여자는 밥상과 시궁창에서

그와 다른 수가

숲이 눈물에도 있었다.

아들의 덩굴진 상처에

드나드는 새[鳥],

일 초가 부서지면서

눈을 감은 아들.

올창한 비[雨]가 하늘을 묻었다.

뒤집어진 망각

제쳐진 그릇,

아들은 자기 그림자를 건너

제 집으로 돌아온다.

"뭘 하오."

"아무것도 아니예요."

"어디 좀 볼까."

"아이 숨막혀…… 그만……"

아내는 먹다 남은 살구를 보인다.

이제사 일 초에 착륙한

활주로를 보는 갈대가

흰 달을 업고 서 있네.

흰 마스크의 장갑의

상자의 층계 층계 층계

일찍이 층계였던 다리[脚]

팔처럼 휘감던 다리.

sing 싱 싱 싱 싱……

벗은 듯이 차려입은

밤 뒷거리에서

앵무새 장사는

이중 장부를 정리한다.

저들은 우리 일가—家거나

아니면 친척이었다.

"이야기 좀 하세요.

아무도 내게는 말을 걸지 않는군요."

그렇다면 흙은 없는 것이다.

도시는 배가 고팠다.

"우린 따분합니다."

아이스크림이 사랑을 포장한다.

"탈을 벗으라구요? 치사해요."

서로가 허물이 많아서

아무도 안 보는 곳에서

그들은 합쳐 흐른다.

"제정신 가지고는

못 산다고 하지 말게나."

잎사귀가 여는[開] 물[水]은

문자文字로 지나간다.

"무슨 뜻이냐고 묻지 마세요.

내가 아프면 남편도

그 부분을 앓았어요."

소년의 작문에서만

아버지는 살아 있었다.

인조 눈[雪]이 두 조각난 눈[眼]에서

돋아난 눈[芽]으로

내린다.

쏟아지는 눈[雪]이 언제나 그것만도 아닌

죽은 뒤의 무죄 선고나 훈장처럼

회상한다.

달구지는 가버렸다.

바퀴 자국은 유년 시절,

웃음은 상喪빛 동대문과 밀감蜜柑을

본 뒤로 무서웠다.

말[言]은 부끄러웠다.

무엇이 몇천 년을 썩은 땅에서

돋아나려나 지켜보았다.

어느새 동대문은 하늘에 떠서

흙탕물의 해를 찔러

나는 거꾸로 매달려 있었다.

인과란 원래부터 없는 것,

텔레타이프는 치하한다.

"난 말 잘 듣는 사람을 좋아해."

석가는 근 이천오백 년 전에서 설법한다.

"너희들은 나의 말을 믿지 말라."

하루가 물 밖으로 나와

문자文字는 거울로 들어가

태양은 무관심을 구축하고

거리距離로써 매화를 기르더니

벽에 성호星湖를 두었다.

그는 자유로운 비굴이

새겨진 의자에 앉아

일본 헌병에게 충전

당하는 꿈을 꾸었다.

이마에 불을 켜고 해저海底를

날며 학춤을 추다가

가루가 되어 뿌려졌다.

그는 동시에 끄나풀이 되어

전화기로 놓여 있었다.

총구가 드리는 기도,

일인 삼역의 그는

쓰러지면서 눈을 뜬다.

오래일수록 평화한 목판책과

상상도 못했던 새로운 살인,

아니면 권태의 숲에서

소망을 물소리로 대치하며

나는 병약한 아내를 부축한다.

아내는 가난한 내 손을 잡는다.

그럼 풀라스틱제 염주를

다른 무엇으로 대치할까.

비는 우리[檻] 밖에 오는데

불이 거울 안에서 타오른다.

기적소리는 물 속으로

가라앉는 접시들,

시간은 정지해 있었다.

열차는 가는 것이 아니며

우리에게 달리는 것으로 보일 따름이다.

두 조각난 몸은 국제 대상大賞

밤은 영광을 합창하네.

빛만 앉은 의자와

지위만 근사한 유리 술잔,

잎들이 피어난 전주電柱에

바다만한 달이 열렸[實]네.

관세음보살은 나를

존재하게 하는 깨어진 손가락,

나는 내 눈을 들여다본다.

알은 썩고 있었다.

나는 천천히 물구나무서서

지구를 겨우 들어올려

그녀와 밀접한 채

모발을 일렁이며

별들 사이로 정박하였다.

팔뚝에서 굴러 떨어지는 교통 사고들,

우리는 지구를 천천히 밀어 던진다.

달은 등뒤에서 솟아오르며

어느새 광물은 씨가 되어 있었다.

가난한 반지여,

평화를 위조하라.

월계꽃이 핀 형구刑具

옥빛 상처,

아무도 못 빼앗는 사랑은

오로지 사제품,

안저眼底를 탐험하는 만년필은

돌에 혈관을 이식한다.

소위 진실은 그를 무력하게 하였다.

그래서 그는 부러운 것이 없다.

계절은 그를 가난하게 하였다.

그래서 그는 미운 것이 없다.

탐욕은 그를 못되게 하였다.

그래서 그는 불감증이다.

너는 너를 부정하는 신앙

너는 애착하지 않는 하늘

너는 가치 없는 진리,

그들은 빛나는 탄도彈道가 끝난 곳에서

자신이었다.

사장의 통역 비서는

여객기 안에서

『흑인과 보석 그리고 총』이란

베스트 셀러에 열중하였다.

여객기가 이상한 나라에

불시착한 날,

그곳 법정에서는 결심 공판이 열렸다.

"너에게 종신 집권을 위임한다"는

언도가 내리자

피고는 담박 사색이 되어

가족석은 흐느껴 울 뿐

여객기는 변호사가 움켜잡는

허공으로 떠나가고 있었다.

잠[眠]은 동시에 각각 다른 시간에서
복면覆面을 하고 있었다.
"여보 당신이 꿈에
나를 칼로 찔렀어요."
앞자락을 여미는 여자의 새벽,
남자는 잠자코 돌아눕는다.
쇠를 채는 소리가 어디선지 났다.

그러고 보지 맙시오.
그는 겁쟁입니다.
아무 말도 걸지 맙시오.
그는 비굴합니다.
제발 내버려둡시다.
당신과는 다릅니다.
누구를 미워할 리가 있습니까.
안심합시오.
꽃씨만도 못한 힘으로
미소만도 못한 일입니다.
몇 시냐구요, 아니라구요.
무엇을 생각느냐구요.
그는 벙어리올시다.
처녀의 한복 차림은

미닫이의 등불,

공동 목욕탕 안에서

남자들은 직업

알아맞추기를 서로 한다.

아내는 곧잘 웃으면서

남편을 탓하였다.

"당신은 궁상窮相이 취미가 됐어요.

대중이 좋아하는 거면

뭐건 공연히 멸시해요."

남편은 졸고 있었다.

그 차이만한 방에서

나는 휴식한다.

오늘은 옷처럼 가득 차고

비어 있다.

그림자는 생각한다,

무게 없는 물질을.

과즙이 흐르는 상처가

노래를 연습하며

새로운 얼굴을 만들고 있다.

그날 죄수는 이발을 원했다.

주례 목사는 변소에 앉아

쇠창살에 핀 연두꽃

하늘을 쳐다본다.

마룻바닥에 떨어지는

죄수의 피묻은 수염,

죄수는 웃으며

이발사의 따귀를 갈겼다.

턱에 반창고를 붙인

신랑만의 퇴장,

탕! 빠찡꼬 소리

넘어 박히는 하늘

높이 뜬 광고 풍선.

그것만은 아닐 것이다.

모른다기에는 이르며

안다기에는 늦었다.

광고는 깍듯이 인사한다.

"문명은 정확한 계산을 필요로 하오.

어떻게 하면 온몸의 신경을

뜯어내어 불변색不變色이 될 수 있는가."

그것만은 아닐 것이다.

안다기에는 늦었으며

모른다기에는 이르다.

남편은 화포畵布에 시간을 그리며

아내는 침묵을 작곡 중이다.

그것만은 아닐 것이다.

모른다기에는 이르며

안다기에는 늦었다.

닐늬리야 닐니리야

너나 나나 늬나 나나 난다.

자녀가 없는 그는 하 심심해서

완구玩具를 만든다.

아내는 가끔 얼굴을 반지 없는 손으로

가린다.

밤이면 그들은

십자가를 넘어야 한다.

폭풍에 많은 꽃잎은

속속들이 들어차며

내일에 많은 어둠은

속속들이 꽃잎이 피는

우리는 이름 없는 항아리,

닐늬리야 닐니리야

너나 나나 늬나 나나 난다.

"자 진지 잡수러 오세요."

6곡六曲

마음은 바깥에 있고

폐는 더위에 짙푸르렀다.

적막이 빛날 때

쇠[鐵]는 일어선다.

대단한 일이 아니라도

모르는 것은 중요하듯

나 외에도

나는 어디에나 있었다.

먼지는 불로 부활하여

쇠는 죽지 않아 아우성을 지른다.

나무들은 절벽에서 놀라

서로 속삭인다.

우리는 밤이면 잠자는 연습을

날마다 하니

언제인가는 자듯이 눈뜨는 일도

그리 어렵지는 않을 것이다.

많이 일한 사람은 편히 쉰다.

그들은 성좌星座이어서

핏줄 달린 송화기로

우리에게 빛을 전한다.

그러나 머리카락보다

많은 비가 눈물 내리어

눈[眼]을 잃은 노래가 있다.

버드나무 밑을 휩쓰는

홍수의 귀가 있다.

인자한 머리여,

밤[夜]과 바위가 손을 잡은

바다의 머리카락 올올마다

내일은 오는데

당도한 곳은 난해한 세상,

의미 없는 진리이다.

접시꽃은 벙어리지만

거짓은 유쾌하니

속지 말고 들어가봅시다.

수입은 불신이며

옥수수는 무아無我로서 매일을 만든다.

무無가 창조하는 다채로운 지적 견해

그 그늘에서

아이들은 헤엄을 친다.

조금은 가까이 왔을까.
법에 걸리면 상이나
벼슬을 주는 나라가 있어
그러한 미래의 집들을
우리는 한밤중에 보았다.
그러니 열심히 일하면서
일생을 헛되이 보낼 일이다.
"허물이 많아야 극락에 간다"며
말씀은 저승과 같으나
금고金庫도
같은 말을 다른 뜻에서 하지만
너의 머리는 너의 머리가 아니며
너의 생각은 너의 생각이 아니다.
비碑돌에 감아 오른 상표,
귀여운 새들은
어디로 가버렸나.
사람들은 모든 새들을
가축으로 만들 작정인가.
알 수 없는 일을 믿으라.
장님이 만든 해는

몇 년생 열매인가.

잡목림 사이로 모인 시간은

냇물과 회의 중인데

차 바퀴가 도시를 변조한 서류와

승방 같은 저녁 노을을

돌면서 속삭인다.

여자는 하품을 침대에서 하더니

또 성급히 담배를 빠는데

남자는 저녁 노을을 향하여

전차 안 가죽 줄에 의지하였다.

서로가 진정은 말하지 않고

깎듯이 예의만 지킨다.

시간은 실패한 일이 없어

흙은 언제나 승리한다,

젯트 여객기가 불을 뿜으며

작별 신호를 허공에서 보낸 외에는.

콩은 이 짓을 해야 한다며

이 짓을 말아야 한다며

맷돌에 갈려

모직毛織이 되나,

그는 제재기製材機에 갈려

팔만대장경이 된다.

나는 다른 것은 없고

같은 것은 없다는

그러한 말에

소속되어 있지 않았다.

그는 좀더 관심觀心·을

확인하기 위해서

관심關心에서 물러선다.

바다 고기가

그물 밖으로 넘어가듯이

높이 떠서 굽어보면

문제는 물에 비끌어매여 있어도

쇠사슬은 그림자에 무능하였다.

그가 석가처럼 고해라야겠습니까.

그가 공자처럼 탄식해야겠습니까.

그가 예수처럼 죽어야겠습니까.

그는 당신을 위해서도

그럴 수 없을 것이다.

삶과 죽음은 다르지 않았다.

우리는 너무나 긴 일생에서

모든 것을 깨닫도록

대부분을 낭비한다.

타인의 무기는

유부녀를 쓰다듬네.

벽은 투명하오.

하늘은 물결치는

그녀의 모발에서

표정을 숨긴다.

달이 찢어진 양말에서

솟는다.

외로운 사람은 외로운 사람을 모르는가.

괴로운 사람은 괴로운 사람을 모르는가.

당신은 성의껏 몸을 떠는

한 장의 휴지며

그녀는 치마 속

깜박이는 이슬을 턴다.

너는 기적소리가 들리는

검은 연기로 말려든다.

소망은 아내와 자녀를 위하는 것

우리는 약간의 동정을 나누며

서로가 가슴 아파하는 것

보람은 참는 것

모두가 잘되는 것

그 외는 바꿀 수 없다,

실망이 비록 스승일지라도.

성聖 관자재보살觀自在菩薩*은

커나는 아기로 하여금

어른들의 잘못을 되풀이하게 마십시오.

날 때는 그렇지 않았는데

무엇이 그렇게 했느냐고 묻지 않는다.

서로가 옛 싸움터에서

승리 없는 영광을 건설한다.

인분人糞은 추수가 되어

음악을 겨울에서 펴기까지

그는 가슴 깊이 목을 숙인다.

햇빛이 눈[眼]에서 흘러내리기까지

이곳은 과거가 없다.

쇠는 공기가 되어

꽃이 구름에 피네.

도둑들이

하나하나 억센 이[齒]로서 부활한 날

예수님은 목젖에 매달렸을 뿐

칵테일 파아티는 그들 편이었다.

나무들은 창窓의 한계에서

별들과 춤을 춘다.

나무와 별은 누구의 것도 아니며

잃은 이의 것이다.

허무는 무서웠다.

자동차는 쓰러져 기도한다.

빛은 바다의 산처럼

대답하지 않는다.

두고두고 보게나

전자 계산기와 구멍,

정성定星이 정남正南하면

세상은 가족인데,

비가 자꾸 오는

희생자들의 말씀.

충분하면 강조할 필요도 없으련만

잃은 것은 말하지 않고

자랑하기에 피는 흐른다.

여름은 잎이 지네.

옛부터 없던 것이

없어지기까지

열차는 간다.

도착한 곳은 바닷가

흰 말[馬]이 하늘에서 운다.

허리를 따라

파도치는 의상 밑에서

밤과 낮은 하나로 꽃피었다.

하나의 인형이기

이전은 무엇이었던가.

모두가 고향인 것은

어디에도 없기에 어디에도

있다는 그러한 식은 아니다.

생각은 분명히 중요하지 않아

귀중한 것은 보이지 않고

들리지 않는다.

공포를 존경하는 이는 없었다.

혀가 뿌리를 박아

음식상이 되는

불가능의 가능.

비는 오는데

당신의 생각은 나의 생각은

분명 중요하지 않다.

중요한 것은 보기만 하며

스스로를 못 보는 눈[眼] 안에 있었다.

매일은 혼야婚夜를 위하여 바쁘네.

나무가지마다 열리는 오색 알[卵]

사지四肢마다 열리는 창

모두는 잘될 것이다.

만사는 잘될 것이다.

언제인가는 잘될 것이다.

치마와 백자 항아리와

쇠결이와 벗은 여자.

비라도는 술잔을 놓더니 화를 낸다.

"시가를 행진시킨 것이

잘못이었어.

교통 사고로 해둘 걸."

열 손가락은 서로 마구 물어뜯는다.

합장은 슬픔과 기쁨이 나뉘기 전

슬픔과 기쁨이 하나가 된 뒤에

내가 스스로 이루어진 것이다.

자동차는 천천히

사나이를 거울 속에서 미행한다.

지하실 다방에서도

부부가 자는 꿈나라에서도

항공기의 변소에서도

204

거울은 그러하였다.

찌든 장판방은 익은[熟] 가을인데

누가 나를 미워한다면

분명 사랑하기 때문인데

누가 "미안하다" 면서 의심하는가,

자신을 속이고 웃는가.

나의 친구는 소장消長하는 돌[石],

상상도 못한 절경이다.

돌은 가끔 돌아보는데

어째서 나는 부재중인가.

돌이 날마다 이상한

교통 사고로 죽는 꼴을

다른 돌은 분명히 보았다.

서로들 분명히 들었다.

이상한 냄새가 점점

하늘의 섬[島]을 오염한다.

햇빛은 가루가 나서

피는 재에서 솟는다.

최루탄은 웃는데

여자는 귀중한 시간을 화장化粧 중이다.

"난 물들었어요."

"만사가 피곤하다."

우리가 할 일은 사람인 것이다.

청동은 눈물로 익은 과실을 안고

여러 가지 자세를 짓는다.

변화하는 시간은 살아 있었다.

바다는 늘 풍년이건만

착한 만큼 불행한 사람을 아는가.

허물 많은 사람은 아실 것이다.

나무여, 너는 말을 하면 죽는다.

돌은 "안녕하세요" 인사한다.

실수는 "안녕하세요" 대답한다.

일 초마다 춤추는 돌

소라 껍질의 산맥

보석이 녹아 흐르는 물,

천년도 일순一瞬인 돌은

우리의 불평을 치료하건만

돌이 서로 주고받는

말씀을 아시는가.

나의 통역을 귀담아듣는 이는 없다.

근심과 사랑이 분비分泌하는 복숭아를

바라만 보는 사람은 오래 산다.

게으름은 보건법,

자기 자신을 욕하는 이는 없듯

누구나 아는 일을 말하지 않는다.

뻗어나는 숲의 혈맥,

아기들은 가지마다

태어나서 웃는데

그는 아기들의 웃음을 녹음한다.

가난한 마을이 번개불의 잎사귀들마다

영접하는

파도소리는

보타락가산寶陀洛迦山* 성聖 관자재보살觀自在菩薩.

무허가 주택 지대에

떠 있는 광고 풍선,

합장한 교류의 광망光芒.

감투를 부닥방망이로

깊은 진주를 미간백호眉間白毫로,

누구나 죽을 때는 분노하지 않는다.

그들은 나무를 지배하지만

나무는 땅에 머리를 박고

구름과 춤을 춘다.

자네가 알고 싶은 정도로

미지에서 나타나지만

자네에게 필요한 것은

버리고서 모든 것과

동질이 되는 일이다.

그래 죽는 사람은 분노하지 않는가.

마음은 한없는 식료품이었다.

언제인가는 거울만한 해[日]도

멸망할 것이다. 너는

그럴 때마다 새 아침에 눈뜰 것이다.

변화는 태양太陽할 것이다.

법을 잘 이용하기로

이름났던 동상,

성현聖賢을 팔아서 영토를

넓힌 한 권의 책,

예술을 타락시킨 살진 상표,

그는 그러한 사이의 카아드를

뽑아 낙서를 한다.

의심한다 의심하라.

회의懷疑는 연구요

의심은 자궁이다.

"당신은 왜 앓소."

유마維摩˙는 대답한다.

"중생의 병을 앓기 때문이오."

과연 그럴 수 있을까.

그렇다면 불이문不二門·은 고전古典이다.

그렇다면 문제는 다르지 않고

다른 것은 고古 · 금今이다.

어쩌자고 이러한 생각을 하는가,

하필이면 어리석은 내가!

생각은 말씀을 잃어

그림자를 뚫은 총구멍.

그 구멍에서 솟아난 연꽃이

나에게 말씀을 가르쳐준다.

밤에 쓰는 시,

돌은 아무도 못 듣는 말을

용하게 알아낸다.

돌은 날이 새기 전에

물에 구절을 기록하고

너의 음성을

나의 목소리로 상감象嵌한다.

기쁨이 남을 괴롭힐 때

나를 잃는다.

나의 뜻이 아니기에

소망을 반대로 끌어낸다.

봄은 비에 감사하지 않아서

물은 은혜로웠다. 아니라면

잘못이 정당한지 모른다.

형기刑期는 없고 죄명만 아름다웠다.

하늘을 안은 비둘기 날개로서

그녀의 가슴에 익은 딸기로서

지하실 층계를 더듬는다.

층계를 오르내리는 나는 바쁘다.

패배가 승리라면

또는 승리가 패배라면

너는 믿는가.

남자는 지기 위해서 이기기만 한다.

여자는 이기기 위해서 지기만 한다.

사랑스러운 얼굴이 벽에 나타나

나무들이 지평선에서 부르는 소리

하수도 공사의 기계소리,

소리는 수면의 구름처럼 상대를 발견한다.

불이 결혼한 허리에서

술은 곱게 발효한다.

말씀은 미지에서 시들어

철사鐵砂는 초록빛으로 흐른다.

금이 간 허공에서

잠 못 자는 가장자리에서

언덕은 기쁜 불안을 잉태한다.

이것은 재가 변한 대추[棗]이다.

이것은 엽맥葉脈이 변한 머리[頭]올시다.

속살을 주고 빚을 얻어

장사라도 해볼까.

박수 갈채가 오대양에서 일어난다.

싸늘한 웃음

조용한 분노

흙은 피부,

너는 아픔을 참으며

종소리를 펴는 향로,

창 밖으로 오는

뿔이 달을 열매[實]했는데

사슴은 배가 고프다.

"이러면 어떨까."

"자네는 어리군."

"저러면 어떨까."

"아직도 어리군."

"어떻게 하면 좋을까."

"역시 어리군."

"영영 모르고 마는 걸까."

"결국 어리군."

누구나 어린이를 좋아한다.

자면서 구름에 오줌을 싸는

아기별의 이름을 아시는가.

언제나 시대보다 귀중한 목숨,

눈은 책을 오독誤讀하는 버릇이 있었다.

사람들이 혼자서 울고 있더라,

별들처럼 많은 세계에서.

법에 걸려들지 않으려

여자는 짙은 화장을 한다.

도둑은 귀찮아서 옷을 입지 않는다.

만나는 사람마다 보현보살普賢菩薩˙이었다.

영화映畵는 벽을 열고 들어와

손금을 타고 내리는 음악의 산수山水,

고산자古山子˙가 들어간 뒤

벽은 닫혔다.

가난에 빛나는 사랑,

공중 변소가 없는 길거리에서

위반違反은 아름다웠다.

치마가 널린 철조망,

여기는 멀고도 가깝다.

내가 천천히 면도하는 동안

그녀는 돌아간다.

팬츠만 남았다.

비바람 안에서

음식은 자라나건만

새들은 기도를 모르더니라.

사람이 기계가 될 수 있는가.

땀구멍이 없는 도시

마르는 해[日],

그는 불사약不死藥을 먹는다.

그는 별들을 따 들인다.

그들은 변소 안에서 간음한다.

그녀는 도시기盜視機를 엄금한다.

우리들은 하늘로 이민간다.

시계는 생각하며

책은 생각하며

무기는 생각하며

머리는 생각하며

생각은 생각하며

이승은 저승의 잘못을

찬송하며

저승은 이승의 슬픔을

찬송한다.

아내와 딸을 잃은 산

남편과 아들을 잃은 강,

노우트의 경사를 따라

씨를 뿌렸으나

가을은 오지 않는다.

노우트는 팔리지 않는 수가

한 잔의 우유만도 못하다.

아기를 낳던 날,

시가전은 한창이었다.

벽은 출렁이며

일력日曆은 정박해 있었다.

삶과 죽음 사이에서

다리[橋]는 무너진다.

세계는 시간 안에 있어

사람은 시간 밖에 있었다.

교정交情은 아름다이 죽었다.

아름다움 없이는 못 살 세상,

그래서 슬픔으로 가득하다.

눈[眼]이여,

깨어진 질그릇에도 정情이 가

실패는 스승이며

상처는 연꽃이고

번호는 사람이다.

나무는 근심하나 분노하지 않는다.

보석 같은 비에 젖으며

그래 욕망은 허무하던가.

나는 유리에 비친

수많은 나의 눈동자들에서

너를 본다.

남루한 태양

불신의 꽃

피나는 평화

시장으로 들어오는 염소들의 행렬,

대학생은 돈 잘 버는

착하고 천박한 여자와의

임시 결혼을 작전 중이다.

젖[乳]은 공복空腹에 눈[雪] 내리는데

그는 뭐고 믿은 일이 없으며

존경한 일이 없다,

자기 자신에 대해서.

실은 누구와도 친하나

서로를 몰랐다.

시가市街는 무슨 말을 할지

무슨 짓을 할지

눈치껏 스스로를 팔며 산다.

나는 피곤하면 성서에 들어가서

외로운 하나님을 위로한다.

심심하면 석가를 잊고서

연대蓮臺에 앉아 논다.

그러면서도 나의 눈[眼]은

천박하고도 복 많은

여자의 반지에 이식되었다.

소금기 어린 입술은

잃은 눈을 찾아서

밤길을 간다.

걸레여

평화한 장판방이여.

너희들은 어디서

서로들 그리워하는가.

해와 달이 없는 석탑,

돌은 스스로 일日 · 월月이다.

그래서 한계가 없다.

나무여, 어디나 있는 나무여

때가 오면 하루 아침에

생각할 것이다.

억센 겨울과

피가 고운 봄나무여,

여름은 어디서나 장하고

가을이면 계시啓示한다.

그러면 탑과 나무는 다르지 않다.

계절과 그는 다르지 않다.

출발과 도착은 다르지 않다.

흐름은 어디서나

강이듯이

너와 나는 다르지 않다.

7곡七曲

밀감蜜柑의 단추를 누르면
여자는 착한 소망을 보인다.
"누구나 마음대로 사가세요."
상가商街를 넘기던 남자의 입원,
가난한 별이여,
현교懸橋는 광고 안으로 내려온다.
이해利害는 밀감에 우글거린다.
지구는 떨어져 사라지고
날개가 그 자리에 돋아난다.

불에서 태어난 먹[墨]은
공간에 금을 그어
사고事故의 안팎으로 잎을 단다.
잎은 통금 시간에 자라나
날개를 편다.
그것은 괴로운 광명
외로이 오는 향내.

한 마리 새는 혼수감을
북두칠성으로 재단하다가
돌이 되어 무한으로 떠간다.
그 반응은 실내의
피안마다 말씀을 심는다.

하늘은 해일海溢하며
바다는 정차停車하고
전화가 상중喪中인 거울,
밀집密集한 입은 묻는다.
없어서 되풀이하여
말씀은 나온다.
시간은 돌아오면서
땅이 걸음마다 역전한다.
무연無緣한 기한에서
새는 기억한다.
돌은 계속 날고 있었다.

사막에 밀어닥친 홍수는
만돌린을 키는 처녀 늑대,
항아리는 달을 잉태하여
조화造花는 자손이 많았다.

"나무라지 맙시오.

좌절을 미리 막읍시다."

아내는 삼십 년 전에서 웃는다.

친구는 허공에서 웃는다.

"아무도 그런 말을 할 자격은 없습니다."

해[日]는 음식을 부지런히 만들어

그 외는 관심이 없었다.

적당히 일어서볼까.

꺾인 나무는

걸인乞人의 날개,

그녀는 시장하면

성당의 거울에 나타나서 웃는다.

채석장이 혈액 은행으로 변한

그 반사로 트인 길에

가난한 연령은 우거졌다.

사소한 정도로 귀중한

소원을 들어주소서.

눈꼽만한 소원을 풀어주소서.

불면不眠은 끊어진 산과 강을 깁는다.

그 이상은 보이지도 들리지도 않네.

시간은 "고통과 기쁨이
다르지 않다"고 설명한다.
철창을 벗어난 그림자가
방황을 밟는 찰나
전등은 일제히 꺼졌다.
그림자는 천지天地에 눈을 떴다.

그대는 원망하지 않는 곳에 이르렀는가.
많은 아기들을 초대할 수 있는가.
희생은 선물을 받았는가.
밑바닥에는 자랑이라도 깔렸는가.
창 밖을 지나간 사람은?
혹시 아니라면?
다이아몬드는 검은 색깔을 찬미한다.
죽음이 다이아몬드에 들어선다.
다이아몬드는 기겁을 한다.

상복喪服을 벗는 종소리,
살아나는 사자死者와
죽어가는 생활,
식기들은 분주하며
쇠는 지배한다.

불은 무엇보다도 앞서 달린다.

상처는 아내에게로 돌아왔다.

서로가 안은 등[背]은,

함께 우는 반가움.

그녀는 부끄럽지 않아서

그래서 늙지 않는다.

세계의 남자들이 순례한

창녀는 성전聖殿이었다.

꽃은 해를 수집한다.

가슴을 읽으면

뒤엉킨 전선電線이

시詩에서 방송한다.

고연古硯의 기러기는 반월지半月池로 내리는데

잔 털[毛]이 자라난 정맥,

이삭[穗]은 서로들 속삭인다.

"젊은이들은 어디로 갔기에 없나."

오동나무는 벼락을 맞아

거문고가 되었느니라.

구급차는 병원을 뚫고

저승을 통과 중이다.

"오해만은 못 당합니다. 내버려둡시오."

철창에 피어 오르는 아악雅樂,

낮잠은 작업한다.

몸은 밤마다 예술하여

낮이면 해를 안고 잔다.

모르는 일이 없던

남자는 죽어 있었다.

눈[眼] 안의 터널에서

불을 만들고 있었다.

비바람에도 감지 않는 눈

그의 거처는 별난 세상이다.

도착한 말씀을 내일에 비추어본다.

말씀은 책임이나

책임은 언어가 아니었다.

아기를 보장하지는 않았다.

창문은 꽃나무를 열어제쳐

가슴은 샘물이 일렁거려

그림자가 바람을 기록한다.

신문에 계속하는 사막은

전선電線에 묶인 강,

여러 가지로 다른 일에서

나는 많은 것을 배운다.

간장[醬]은 외롭지 않지만

아기는 병원에 못 간다.

재판소는 식사 시간이지만

돈은 죽은 사람의 것이지만

너는 그럴 리도 없지만

신을 만든 일도 죽인 일도

없는 후손들이지만

내가 남이지만, 남이 나지만

만년필은 이질을 앓는다.

우리 책부터 덮고 가까운

물건들과

이야기합시다.

없는 것들과도 이야기합시다.

우담바라優曇婆華˙가 몇천 년 전으로 내민

석각石刻의 손에

꽃핀 날,

"그걸 통조림으로 만들어 보급해보라."

그러나 수지가 맞지 않아서

그는 낮잠을 잔다.

나의 전생인

부처님이 사진틀에서 내려온다.

통역은 나에게 묻는다.

"무엇을 원합니까."

전자 계산기는 대답한다.

"나라니요? 그런 건 없는데요."

새로운 예술은 용병의 피로 이루어졌다.

가위로 하늘을 도려내어 만든 의복,

무진장한 상점들은 주인이 없었다.

모두는 아들과 딸이니라.

신은 아들과 딸이니라.

아들과 딸 아닌 초목은 없었다.

총銃은 자손이고

모직毛織은 자손이고

겨울 밤은 자손이고

나팔에서 내려오는 소녀였다.

금속은 또 기다린다.

추억을 출발한 바람은 귀국 도중이다.

수선水仙은 형제간들이었다.

무엇이 무엇을 자랑하나

무엇이 무엇을 죽이는가.

천만겁千萬劫이 일순一瞬하는 반게사신半偈捨身

그는 무죄無罪 죄인이올시다.

일순一瞬이 영생하는 반게사신半偈捨身

우리들은 무죄 죄인이올시다.

"이리로 가면 무엇이 보이나요."

지저분한 거리[街]는

정다운 대화,

대화의 바다는 꽃밭이었다.

죽은 얼굴마다가 태양이었다.

있던 것을 잃어

없던 것은 생겨

답변은 질문 앞에서

오지 않는다.

그녀의 눈은 아직도

나에게 묻지만

결론을 서두르지만

강물은 시간을 발전發電하고

구름인 그녀는 사라져

문제만 이곳에 남는다.

고향은 이제 없는

내 어머님의 가슴,

노래하라 시냇물이여

모두가 다 알아듣도록.

나무들은 오라면서 손짓하네.

목숨의 피는 세계이다.

병거사病居士는 눈 내리는

절도絶島의 꽃향기,

바다의 종소리가

새벽하는

다산茶山,

가난한 등[背]과 등을 맞뚫어

거리距離는 산호벽수珊瑚碧樹로 출렁인다.

조상들이

슬픔에서 믿음을

가난에서 인정을

불행에서 멋을

어떻게 발견했는지는 비밀이다.

덕분에 유산이 없어

오늘을 추구하는 총소리,

엄청난 비정에 압도되어
태양은 시멘트로 섰다.
비밀을 잃은 목숨들이
이름을 해부도로 전송한다.
조상들은 어떻게 만들었을까,
상품도 안 되는 정성을
믿어지는 불가능을
없는 것도 깨달았는데.
요즈음은 결혼을 위한 이혼
불신은 호화찬란하다.

"몇 시나 됐나요."
"여긴 어딘가요."
"세상에 이럴 수가……"
"무엇을 해야 하나요."
"뭐가요."
서로가 묻기만 하고
대답은 서로 묻는다.
날아가버린 치근齒根 자리에
화장수化粧水는 고인다.
돈과 여자의 창고는
태허太虛의 미술,

수많은 목소리가
「한여름 밤의 꿈」을 개막한다.
모국어를 사랑합시다.
이혼한 여자는 한 상에 각방면을
차려놓고 먹는다.
기쁨도 슬픔도 없어
슬프지도 기쁘지도 않았다.

보호받는 가축은
하나님께 감사한다.
불고기는 영양가에 감사한다.
용龍·봉鳳의 수繡는 고름이 흘러
여자는 달에서 돌아오는
일기日記와 통화 중이다.
"우리는 헤어져야겠어요."
외치며 세워진 기념이
주어진 시간을 빠져 나간다.
기어오르는 호칭은 추락하며
타다 남은 연기가 노래한다.
전기줄을 감은 검진이
잉크의 풀라스틱 관을 비쳐 본다.
열차는 더위에 졸고 있었다.

어떤 시대, 어느 곳에도
이야기는 많았다.
천하고 아름답기에
용감하고 무지하기에
풍년은 간음하기에
죽음은 산[生]다.
"반갑습니다, 여러분."
"여러분, 그럼 안녕하세요."

파천破天한 손가락,
법은 기적奇蹟한다.
탄환에서 나온 너의 머리카락은
그녀의 품 안에서 착하다.
제목이 없는 시,
비바람에도 해처럼 숨읍시다.
그러는 것이 좋을 것입니다.
눈[眼]은 다른 곳에서
살아 있으니까요.
가난은 비옥한 마음,
잃은 땅에 씨를 심읍시다.
환락가의 한낮에
피부가 펄럭인다.

불이 결빙結氷한 탑,

거액의 채석장은 속삭인다.

잎사귀들이 녹슨 날,

손[手]은 무슨 생각에 잠겼나.

달은 잠자는 여자를 나의 모습으로

비친다.

과즙이 오르내리는

허물은 성스러웠다.

텔레비전 앞에서

여섯 살은 묻는다.

"저기가 어디야."

아버지는 귀머거리다.

세 살은 묻는다.

"왜 저래."

어머니는 벙어리다.

아홉 살은 방긋 웃는다.

"그것도 몰라."

그들은 신화의 가족이다.

벗어나는 지점은

초광속超光速 사이,

큰일은 아닌 수가

선도 악도 아니었다.

구름이 휩쓴다.

이[齒]가 불을 뿜어

거울은 해일海溢하며

제각기 옳아서

모두는 다 걱정한다.

지나온 불길[火道]도

지문 찍힌 하늘도

모래의 털[毛]도

세계는 있었다.

시간 이전에도

시간 이후에도

나는 있었다.

장애마다 싹은 돋아서

삼천대천세계三千大千世界'는 일렁이는 머리카락들에

주렁주렁 열렸다.

달아나라,

고향의 감꽃 염주를

네 목에 걸어주마.

유리창에 일어서는 나목裸木,

어둠은 안경에 빗발친다.

방앗간 순이는 깡패를 포식하였다.

공간의 이빨 자국,

너는 고향으로 들어와서

달에 얼굴을 비쳐보았더니

한 마리 뱀은 부활하고 있었다.

손[手]은 가고 간다.

할머니의 땀은

네 눈에서 흘러내린다.

산 그림자에 젖어

옛 비석은 방송한다.

이 세상에 있지 않아

저 세상에 있지 않아

바다의 육체 · 육체의 하늘이

날개를 편다.

반영反映은 밑바닥을 뒤흔든다.

밤[夜]은 새[漏]어

조건을 표백하였다.

차별 없는 사람들은 건강하였다.

강은 가야 한다.

휴식은 흐르는 것이다.

자비는 산맥 속의 은하수로

도로 속의 혈관으로

층계 속의 음파音波로 교류한다.

교류는 해저海底를 걷어차며 떠오른다.

아무도 사랑하지 않으면서

누구나 사랑하는 행복,

나는 진정한 가짜이다.

잘 먹기 위해서 벌이하는가

경험은 시장했을 때만큼 맛이 없다.

사치하기 위해서 벌이하는가

경험은 단벌 옷만큼 편하지 않다.

자기만을 위해서 일하는 이는 없었다.

도둑은 자녀를 위해서

부정은 아내를 위해서

무엇인가가 성자聖者로 만들고 있다,

등에 대지를 진 그림자들.

부모님이 견디셨던 일생은 향기,

너는 편지를 쓰고

이승에 안 계시는 어른들께

보내는 선물을 고른다.

과오로서 자라난 나무들이

황금빛 노래로서 밤을 쓸어낸다.

미덕의 몰락

"잘해봐요."

"잘해봐요."

추악한 영광

"뭐가 뭔지 잘 모르겠어요."

동상銅像의 등에서 흐르는 피는

젊은이의 것이요

수많은 침묵이다.

간혹 할말은 없어

매연의 골짜기에서 봄이 된다.

그것은 시詩가 아니다.

비끄러매인 팔목은 굴욕이 아니다.

살인 예술은 문명文明한다,

어디서 나를 위해 있다는가.

아기들을 없다고 하지 말라.

시체실 위로 손짓하여

달나라에 목숨을 보낸다.

녹슨 열쇠

옥의 혈반血斑

가난한 거장巨匠

거울의 유액乳液,

기쁨은 일몰에서 싹튼다.

사자死者는 적과 함께 속삭이었다.

새로운 불의 식물들,

하루에도 많은 변화가 꺼지지만

피는 잘 돌아 구름이 되어

이승과 저승은 합창한다.

창窓의 불바다를

달리는 섬,

물결치는 능금꽃 목소리로써

짐승들은 축제한다.

직업과 관계가 없는 밤,

만족은 권태롭지만

피곤은 녹금수綠金樹의 알을 낳는다.

지구들은 숨바꼭질한다.

살기 위해서 시드는 눈[眼]을

비는 아느니

소리는 흐른다,

두 언덕 사이로.

하늘이 흙에서 트이기까지

불이 옥을 낳기까지,

노인들은 계룡산을 꿈꾸는데

외국에서는 영화 「비행접시」를 제작 중이다.

어디서나 죽음을 무서워한다.

발사發射는 가난을 빗나간다.

새삼 논하는 것은 그만두자.

필요하다면

보살의 미소는 돌[石]이었다.

육체의 다리[橋]로 빛은 흐른다.

웃음은 계산하고 있어요.

헛바닥의 피나는 빙아氷牙의 눈[眼],

생산하는 여자여

우리는 낯선 선술집에서 만났다.

얼어붙은 땅 밑에 알을 기르자.

먼지 날으는 달[月]이 온다.

읽으면 잎사귀들이 우거지는

한겨울의 경전,

몇백 년을 죽었다가도

넘기면 먼동이 트는 그대,

필사본에는 없던 입[口]도 보인다.

언제면 관심에서 벗어날까.

세계는 넘어가는 책장의

산호가지에 주렁주렁.

"흑인의 피도 같았다."

평화에 평화라는 낱말은 사라진다.

자유는 자유라는 뜻을 모른다.

조각의 손을 빌어

너는 이마를 짚는다.

청사진에 비가 오는데

안경은 젖으면서 타오른다.

파도는 몰려와서 속삭인다.

백합이 되어 시들든지

얼음이 되어 웃든지

마음대로 하라, 마음대로 하라.

이러기는 저러기는 쉬운 노릇이다.

아주 쉬운 짓이다.

그러기는 쉬운 일이다.

지퍼가 달린 입과,

수입收入의 비행사는

아내의 입술을 날은다.

웃는 안막眼膜 뒤는 빙원氷原이었다.

그는 여자를 안아 내리려

뚫어 오른다.

모순하는 사랑.

사과나무 밑에서

뱀은 여자가 되었다.

지옥이 있음으로써

극락을 안다고는 하지 말라.

퉁수가 그녀를 유혹했거나

그녀가 퉁수를 혹사했단 말인가.

하나가 분신,

오염되는 물은 순수하다.

가짜 약품은 열차를 타고

회사를 탈출한다.

꽃이 요도尿道에 활짝 피었다.

웃는 동안은 말을 못하고

믿음을 분배한다.

옥玉은 재능을 절약한다.

장마비가 코올 걸의 사랑에 내린다.

마타하리의 작년昨年에

죽인 애인의 머리카락이

파릇파릇 돋아난다.

비는 죽이고 돌아온

가을에 내린다.

여자가 남자에게 돈을 주면서

붙드는 창 밖에 비는 내린다.

어제의 현재와

내일의 현재가

이렇듯 명확한 잎사귀 하나를 키워놓고

밥 먹는 웃음을 보면

"고향으로 가야 하지 않겠습니까."

그러나 사실일지라도 진실은 아니었다.

반백半白이 넘은 일곱

형제는 제사에 모였다.

달은 유년 시절이다.

보리밭에는 시집간

그녀의 얼굴이 물결친다.

세상은 놀라울 일 없다.

나면서 울었느니라, 누구나

나타나는 세계를

거품에서 보았느니라.

절친한 친구인

의치義齒와 안경은

달나라 착륙을

진열장 안에서 본다.

"아버지, 누가 나쁜 사람이야."

"누구나 이기고 진 것뿐이다.

그런 사람은 세상에 없다."

착한 아기는 못 알아듣는다.

내일이 오늘에 당도하며

어제가 오늘 살아난다.

산은 좀더 잊어야겠다.

시계는 좀더 너그러워야 한다.

회사원이며 환자인 남편은

잠을 못 자다가

송두리째 투명해서

밖으로 나가버린 뒤

창살에 돌아온 한 쌍 비둘기,

뭐고 중요한 일은 없었다.

사랑하는 공간에

가을 들[野]이 들어찬

식사 외의 일은 잘 모르겠다.

밭농사에 좋다는

분糞으로 얼룩진 벽이다.

홍옥紅玉 부리는 작년의 짚을 물고

비 오는 십오 층에서 굽어본다.

들리는 것은 냄새,

태양은 비둘기 가슴에서 솟는다.

바쁜 침묵은 본다.

실직 수당도 없는 월급에 비끄러매여

시간은 시계보다 먼저 낡았다.

대학 중퇴와 바아 출신은

함께 흙바닥에서 자지만

오만한 예술로서 벽에 걸려 있었다.

빗방울마다 아기를 잉태한

늦가을이 기침을 한다.

무엇 때문에 이러나

무슨 대단한 욕심이라고

아니면 스스로 갇혀 있나.

새들은 허무에도 날아다니는데

그것마저 버리면

버릴 것도 없느니

이제야 찾을 것도 없느니.

넓적다리를 타고 내리는 모래는

열리[開]는 폭염,

남자는 그늘을 편다.

침묵의 나체는

그릇이고 싶었다.

서로 맞잡아 톱질을 하는데

경출頸出* 백유일장白乳一丈은

천화락天花落 천화락,

넘어 박히면서 산울림한다.

"이게 뭔가요."

착하고 억울한 강산이 모여서 사는

세계의 관광지올시다.

굶주린 창자가 토한 사과 껍질,

아내는 밤마다 직장에 나간다.

사과의 씨앗은 풍부한 기억을 살리는데

놀랄 것은 없었다.

실험은 부단히 낙엽落葉하며

상품은 부단히 부상負傷하고

문화는 부단히 독점일 수 없다.

하늘은 누구의 것도 아니며

부부면 어디서나 정착하듯이

너는 선·악을 떠난다.

어머님의 백자白磁는

우리들의 시간, 그 이전부터

피가 순환하였다.

알 수가 없는 일이다.

꽃인지 톱밥인지 향불인지

눈물은 염주인지

말해주게나

대답은 뭐고 정확하지 않았다.

벽은 각기 일꾼이었다.

아내가 벽에서 나온다.

열매[實]에 손[手]을 펴는

그들은 원인原因,

금세기를 노래한다.

잡초의 비[雨]에

깜박이는 시는

말씀도 종이도 없이

선물을 한다.

우리는 강산江山한 혈육을

웃는 굴욕을

단념한 화장化粧을

성공한 배신을

기도한다, 기도한다.

스스로가 대답하는 일이다.

중요한 것은 말이 아니다.

"자다가 말고 뭘 찾으세요."

"안경은 어디로 갔을까."

이것이 너의 재산

이것이 너의 태양

이것이 너의 사랑

이것이 너의 숨결,

사랑과 허물과 고통의 반면은

기쁨으로 들어가는 강,

절벽은 주저하는 돛대를 격려한다.

큰일은 없는 수가

서로는 돕고 있었다.

완벽한 고독, 영광의 어둠

그는 복숭아나무 끝까지

비를 맞으며 발[足]에서 온다.

바람이 문을 열자 가구家具는 놀란다.

그는 뜨락에서 죽어 있었다.

아이들은 운동장에서 논다.

"언제나 늦지는 않아요."

성인聖人도 파산자破産者도 제왕도 죄수도

마찬가지인 세계였다.

거지는 영웅의 장례식을

공원 꽃밭에서 본다.

세상이 사랑하는 나의 세계

세상이 고마운 나의 세계

세상이 묘한 나의 세계

분노가 봄날하는 나의 세계

판단이 미소하는 나의 세계

큰일은 한 가지도 없는 나의 세계,

배[船]는 표리表裏를 지나간다.

창은 태양을 따 들인다.

눈은 양식을 선사한다.

가지마다 열린

양말과 냄비와 연필 등이 자랑한다.

강요하는 진리, 배타하는 신념은

시간을 읽지 않는다.

"조심합시오. 계단은

언제나 있으면서

어디서나

보이지 않아요. 우리는

보이지 않는 것을 들으며

들리지 않는 것을 봅시다.

찾지 맙시오,

계단이 스스로 되는 길밖에 없다니

말씀을 버리고서 대답합시다."

8곡八曲

사과[檎]의 바다[海]는

원만하여라.

우리는 언제나 안다.

무엇이고 그것만은 아닐 것이다.

언제나 이것만은 아닐 것이다.

살아 있는 죽음이

자기 자신에게 절[拜]할 때

시작은 잃은 데서 찾지만

부·모님을 살 수는 없어

아내와 자녀들을 팔 수는 없다.

안정은 춤을 추는 조각인가.

입맞춤은 짜디 짠 점화일지라도

빼앗긴 그림자는

어두운 재[灰]로 사라지거나

아니면 스스로 아침이 된다.

처벌당한 빨래는 펄럭이지만

허다한 잘못을 저지르면서

뉘우치지 않는 바람은 아름다웠고,
몰랐던 것으로 나타난다.

빗발 속을 달리는 철로는 끝나면서
우리의 포옹이 내일로 뻗는다.
매일은 하나하나 부속품으로 돌았다.
나는 기다려도, 나는 오지 않았다.
태양은 존재만큼 거부하는데
사람들은 자기 자신만큼도
공간을 만들지 않는다.
가지에 달린 사과는
대답이 아니며
생각하게끔
우리를 출발시킨다.
생각은 강력한 선·악에서 달아나
무서움에서 벗어난다.
곡식은 빼앗기는 것이 아니며
어디서나 기다린다.
날씨는 거상巨商의 나라들인데
어째서 되풀이하는가,
목적은 하나님께서도 처형당하셨는데.
지난날의 악은 이제 악이 아니며

미래의 선은 이제 선이 아니다.

가책은 보람이며, 교훈이 아니기에

생각을 다시 출발시킨다.

생각이 멎은 곳에서

종소리는 울려 퍼진다.

해는 도둑을 비친다.

늦은 비는 손을 씻어준다.

시장한 배[腹]는 벽에 머리를 숙여

사과[檎]는 공손히 듣는다.

눈은 눈을 감아도 보인다.

물이 고인다.

피하여 오는 빛과

달아나는 손이 닿는 곳에서

돛대는 한가운데 선다.

낡은 비가 얄타의 황혼에 내린다.

제각기 무엇을 생각하는가.

서로들 어찌할 작정인가.

검은 눈이 제네바의 아침에 내린다.

좌절한 일상품들은 무엇을 바라는가.

아기들은 종소리의 꽃밭에서

날아다닌다.

남자와 여자는 숨바꼭질한다.

오스트리아 비인 공항에

내렸을 때는 새벽이었다.

문은 무궁화로 열려 있어

여행 안내서는 금박 댕기를

매고 있었다. 시詩는 참으로 가치 없이

바쁘기에 자라 오르며

이농離農한 구들에도

눈[眼]만은 남아 있었다.

동면冬眠하던 제자는 외국 관리와

의논을 하고

우리의 꿈은

문명병文明病 환자들의 요양소였다.

옥은 바다를 기른다.

어둠은 가지가지 잎사귀들을 뿜어

소리가 층層진 여자를 연다.

말[馬]은 벽을 하나하나 뚫어 달리며

괴로운 기쁨이 사과를 맺는다.

쇠와 직물織物은 서로 붙들고 춤을 춘다.

담배 연기는 어제와 맞잡고 춤을 춘다.

시선이 맞닿는 산과 강물에서

혼례는 행복을 위하여 병들며

추수를 위해서 시든다.

그들은 희망에 갇혀 있는지를 모른다.

여자는 바로 남자였다.

그의 허다한 작품은

오독誤讀으로 성립되어

진실은 거짓이며

거짓이 진실하였다.

유전油田을 바다의 밑바닥에 심어

장정들은 수확을 해에 싣고

한밤중에 돌아온다.

머리카락마다 켜졌던 전등불들과,

기도하던 나무 그늘은 떠나간다.

비둘기는 열린 가슴에서

날아 내린다.

고독한 행동과 고독한 평화와,

고독한 무의미인 고독은 고독하지 않았다.

무관심한 성실이

수많은 발[足] 도장圖章에서

썩은 껍질을 벗겨낸다.

돈이 전부가 아니기에

그는 고생을 마다 않는다.

사랑이 전부가 아니기에

그녀를 버리지 않는다.

전부가 아니기에

무엇에도 감사하였다.

네가 찾아가는 길은

조상들이 왔던 곳이다.

네가 찾아온 곳은

아이들이 가는 길이다.

동심결同心結만한 지구 뒷면에서

우리는 다시 만났다.

너의 세상은

진공을 꿰뚫어 탄생하였다.

무아無我는 나를 움직인다.

우리는 역겨움을 사다가

국이나 끓여 먹읍시다.

몸을 돌봐야지요.

영양을 좀 섭취하오.

부끄러운 영광, 몰락한 미덕

정거장에 갔더니

울고 있더래요, 둘이서.

촛불은 용꿈을 꾼다.

"그만 이대로······ 날

그냥 내버려둬요, 제발."

진실한 못남, 아름다운 도피에게

유리의 열쇠를 드립시다.

과학의 목숨은 대답을 모릅니다.

너는 다시 별을 출발한다,

무無의 창조로.

   우리 부모 모셔다가

    천년 만년 살고지고

   우리 부모 모셔다가

    천년 만년 살고지고

그는 산 너머 인자한 곳이었다.

달이 태胎에서 나온다.

계수나무는 토끼여서

시궁창의 넋이었다.

너는 지식을 믿지 않는다.

믿음은 아직도 모르는 곳에다

그녀를 위해 집을 짓는다.

흐르는 땀은 부작용을 배제하는데

밤낮 되풀이하는데

구르는 바퀴에서 벗어난 광명,

거룩하여라.

믿음은 저버리지만

영겁의 유방乳房이 생긴

순간 하늘은 보았는가.

가계부여 좀더 다정하여라.

처음은 막연해서 좋았다.

나타나는 것이 있어서 좋았고

역시 무엇인지 몰라서 좋았다.

알면서도 못하는 일은

잠시만 귀를 막아도 이루어지는 것

잠시만 눈을 감아도 이루어진다.

내세우지 않는 도덕처럼

깨달은 다양성은 노래한다.

흙은 별들의 변화를 기다리면서

흙은 기다리면서 변화한다.

밥상이 날마다 어떻게

차려졌는지는 꽃이 아니면

그러한 이야기는 못할 것이다.

그래서 꽃은 하나같이 벙어리지만

알들은 깨어나고 있었다.

터어키 주전자의 오백 년 하늘은

인도 보석의 삼백 년 하늘은

믿는 이가 없어서

죽은 사람들에게도 뜬소문이었다.

외투에서 벗어난 노래가 있어

행간마다 자상한 햇볕이 퍼진다.

우리가 읽은 책은 염소[羊]였다.

우리가 먹는 밥상은 고기[肉]였다.

휘날리는 머리카락은 안경眼鏡이었다.

넘어가는 이야기에서

가축들은 끌려 오고 있었다.

목판은 무량수광無量壽光.

"위선이 어떻다는 겁니까.

전략 무기는 단념을 했답디다."

없는 꿈으로 날아 들어가서

불타는 구공탄은 천하가 태평한가.

한 마리 개가 있어

십여 년 전부터 움직이지를 않더니

천년 전 밤의 울 안의 감나무는

그 개가 돌아오는 사람을 지켜보았다.

그런데 너의 음식은

도무지 재미가 없었다.

웬일인지 내용을 속이지는 않았다.

머리카락이 우유에 떠다니더니

고독은 떠올라 섬이 되었다.

물고기들은 무거리無距離를 오고 간다.

네가 별들과 대화하는

이마에서 별들은 헤엄을 친다.

하나의 모두가 아닌

모두의 하나인

그 하나도 없는 바탕에

입술이 닿았을 때마다

안경은 접목하여 비둘기 알을 낳는다.

역사는 풍토병을 치료한다.

짐승의 훈장이라고 말하지 말라.

뱀의 아들들이라고 말하지 말라.

아들들의 태양,

그 태양은 미운 자를 본 적이 없다.

나의 말씀은 공간이요,

너는 썩지를 않는다.

그들은 판단 이전에 앉아 있었다.

너는 돌아가는데

해결은 질문한다.

죄악 없이는 내일은

사라진다고 말하지 말라.

서로가 잊지 말 것이

누구나 서로들 만났다.

불타는 빰은 무성하였다.

너는 괴롭기 위해서 즐거웠다.

"구름이 돌아가니

산山만 홀로 섰네."(고구古句)

거울의 전망은,

자라나는 아이들에서

밤길을 보았다.

잠을 이루지 못하는데

세계는 귀[耳]가 없었다.

부부는 아픈 곳을 서로 앓아

불이 방안의 항적航跡에 켜진다.

이제야 들리는가

그러히 하면 복은 이러하리라.

이러지도 못하면

저럴 수도 없으리,

죄가 있는 얼굴마다 성스러웠다.

하늘은 연꽃으로 피는데

그래 무슨 보람이라든?

연꽃은 항상 끝나면서 출발하였다.

신호가 신경에 켜지면서

묵은 정을 반대로 불렀다.

새는 철조망에 늘어붙어

터질 듯이 밝았다.

원수는 아닌 수가

그런 일은 꿈에도 없었다.

우리가 기다리는 일은

우리를 기다리는 일이다.

우리는 성인聖人도 구제 못하였듯이

손[手]들이 젯상을 걷어치운다.

끝난 뒤에는 다시 죽지 않듯이

구름이 인육印肉에 걷히어

비는 흐름의 넋에 내린다.

갑사甲紗의 금박 댕기마다

달은 결실하였다.

없는 일에도 살고 있듯이

언제나 내일은 진실하였다.

가난이 바다에 유전油田을 심어

아이들은 태양에 길이 넘는 수확을

싣고 밤중에 돌아온다.

오는 빛과 가는 손[手]이 맞닿은 곳에서

강산은 한가운데 선다.

그 새[鳥]가 부부를 햇살로

한데 깁어,

그들은 병이 낫자

어느새 타화자재천他化自在天*이었다.

사소한 일에 지나지 않으나

침묵은 무거워서 머리를 쳐든다.

생각으로는 생각도 못할 일이었다.

다시는 "주러 왔노라"고 하지 말라.

타의에 의해서 어느 곳에서

성인聖人을 낳는 밤이 있었다.

애매한 너는 확실하였다.

바람은 결론에서 탈출하는가.

손끝에 가시만 박혀도

우주는 아팠다. 아니면

소리란 소리는 말라버렸을 것이다.

그러기에 하늘은 지상을

알 리가 없었다. 그래서

장마비는 뜨락에 내려

아기들을 수용한 병원이 젖는다.

이끼는 적막에

눈은 안으로 열리지만

닫혀진 문으로

생각은 나간다.

물의 반역

불의 순응,

수석水石한 수지樹脂가

먼 글[文]을 읽는다.

밤은 아침을 낳는다.

지화紙貨에는 큰 집이 나타난다.

보름 장날은 종소리에 유통한다.

너의 외로움은 불만 때문이 아니다.

너의 유쾌는 수입 때문이 아니다.

너의 싸움은 권태 때문이 아니다.

"그 앤 또 어델 갔나."

"어제부터 안 보여요."

"탈이야, 아무래도 바람이 났어."

"그걸 어떻게 아우."

"빤하지."

"맘대로 생각하지 말아요."

성공은 간단하였다.

교통 횡사交通橫死는 간단하였다.

무관심은 간단하였다.

가정家庭에 실패한 사장과

애정을 모심는 빈곤은 간단하였다.

그들의 일생에는 청춘이 없었다.

아이들은 자라나며

그들은 죽은 지 오래였다.

눈물 한 방울이 유전油田을 심었는데

시체는 천하가 태평한가.

기계 체조의 식욕은 왕성하였다.

해바라기는 시들어서

아무도 듣는 이가 없었다.

내의內衣는 하늘에 투신하여 모발을 편다.

서커스의 짐승들에게 빗발치는 박수,

달은 땀을 흘려 과즙이 되고

잎들은 지면서 가지를 뻗는다.

수입收入을 넘은 인구

겨울을 섬기는 창,

전쟁은 사람이 등장하지 않아

운동 기구들만 쓰러져 있었다.

삼생三生·의 돌[石]

태양의 밤[夜].

혼혈아는 제 그림자에 눈[眼]을 박는다.

주主님은 피색皮色이 각기 다르나

피는 같은 세계였다.

삼십이상三十二相·은 후회할 줄 모른다.

의치義齒와 안경과 만년필은

너의 하루를 만든다.

흐르는 물은 완화초당浣花草堂·

눈을 감으면 천이백 년

눈을 뜨면 고국 산천

흐르는 구름은 옛 선생,

끝은 시작한다.

목륜木輪의 연주를

돌[石]들은 듣고 있었다.

상처는 찬란하여

사마귀도 별똥이었다.

서로는 말[言]을 형성한다.

잊을 수가 없지 않은가

그러므로 일마다 쉬웠다.

다른 사람에서

나를 찾아

남·여는 포옹한다.

낮은 밤을 낳아

내일을 믿는다.

구름은 숲에서 쉬며

물의 말씀을 듣는다.

바람은 비로소 날개를 편다.

겨울을 섬기던 창이

화물차에 실려 떠나가고

플라스틱은 비단을 짠다.

지나가는 말 발굽마다 꽃이 피어

지나오는 옥玉은 물결을 길러

달 뜨는 마을 연기에

악마는 성인聖人이었다.

불모不毛는 가슴마다 개간開墾한다.

혼자서 말하는 사람은 없기에

그들이 하나의 빛이었다.

서로들 말씀하는데

강은 별들의 숲으로 흐르는데

제 꼬리를 먹어 들어가는 뱀이 있는가.

모래는 쉬지 않아

하늘의 섬들과도

서로가 다른 필요였다.

목재木材는 단정을 부정하면서 온다.

강물은 부정을 긍정하면서 찾아간다.

땀구멍이 없는 빌딩에

파도는 하나하나 날개짓한다.

지난날의 기지촌에

가을은 양공주

우리의 혈육일세.

눈물을 수확하게나.

나비는 날아서

은하로 흐르다가

바위가 되어

연꽃을 연주한다.

성의聖衣와 수의囚衣를 빨래줄에서 알아내는가.

그런 차별에서 벗어나소서.

비오는 쇠[鐵]

관광하는 두뇌,

욕망과 비정 사이로

구급차는 달린다.

낮은 없던 것으로 가득하였다.

과학의 종교를 믿읍시다.

밤은 없던 것으로 가득하였다.

따분한 싸움과

심심한 자살,

그가 돌아볼 때마다

돌은 돌아보았다.

무지개가 끊어진 곳에 놓였으나

많은 갈증으로

무의미는 흐른다,

정감은 신호한다.

무無의 구성,

존재의 공간에

기사記事만 남겨놓고

무적霧笛은 떠나간다,

고향으로.

불은 밥[飯]에 살아 있었다.

야채는 피에 살아 있었다.

쇠고기는 마음에 살아 있었다.

벽에 얼어붙은 바다와

축쇄縮刷된 하늘,

배가 침몰한다.

점點은 타오른다.

내일은 내일을 연다.

그림자 없는 사물들,

생각은 현장에서 엇갈린다.

쓰레기는 죽음을 키워

자료는 해장국집으로 드나든다.

사건은 평등하였다.

역전하는 시간의 길을 따라

평화는 안개 속을 간다.

소리가 나와서 영접하며

목욕은 그녀를 가린다.

혼자가 아니라

그들은 흐른다.

씨앗들을 전개하는

강은 솟아오르는 탑이다.

하나라도 치료되지 않으면

손[手]은 앓는다고 믿어라.

하늘은 구제되었다고

믿어라.

9곡九曲

삼삼森森한 은하수를

굽어보는 날개야,

덜 익은 술은 달[甘]며

황홀하지 않았다.

해마다 오는 감꽃은

해마다 져서

열매[實]들 하는 오복五福 끈이네.

오이꽃과 바람도 그러하였다.

형태는 안에서

익은 빛으로 모인다.

전체가 개성을 만들거나

개성이 전체를 이루거나

간에 나타나는 한계,

신축伸縮은 오복五福 끈을 무한에서

연주한다.

새[鳥]는 기억에서

사라진 지 오래였다.

창은 눈망울이 없었다.

철근의 저녁 노을에

불모不毛의 새야,

어린 것들을 두고

눈을 감았다더냐.

약속은 언제인가가 아니라,

너희들을 속삭인다.

수신受信하느냐. 네가

안 들리는 것도 나는 안다.

그래 네가 들으려면

안 보이는 것도

너는 안다.

말씀을

장님은 보며

귀머거리는 들으며

벙어리는 정확하였다.

걱정은 역조逆調로써 평등하였다.

누구의 것도 아닌가.

빈약한 선善은

옛날의 비에 젖는다.

이끼 핀 범죄

적막은 바람에 펄럭인다.

너는 읽는다,

돌 무늬[石斑]의 놀란 말[馬]을.

바위는 부동不動을 지우면서 간다.

철제들은 복약服藥 중이었다.

나는 계수計數를 지키다가

도둑의 기타와

구름인 불상과 만났다.

도망은 세계를 기도한다.

만나기 위해서

사라짐은 산울림한다.

살인 청부업자는 합장한다.

아이들아, 아이들아

귀여운 아이들아

아이들은 한겨울에 온 봄이구나.

모두가 살아나지 않는가.

되풀이하다가

반응은 들어선다.

체중體重한 의자에서 아직도

대머리는 흐린 날씨인가.

바람에 걸어다니는 나무들이

타오르면서 비를 뿌린다.

실패와 욕망의 입맞춤,

집중하는 이간離間,

끌어안은

극極은 통로였다.

낳는 아픔은 거부하면서 온다.

나는 어린이들을 믿는다.

나는 없기에

손금에서 변화하였다.

집들은 반가워한다.

나라들은 식사를 한다.

식사 중에는 꾸짖지 않는 법이란다.

치솟는 분수의 물방울을 따라

날아 내리는 동제銅制 비둘기,

그는 그녀와 만났다.

그는 산을 기억하며

그녀는 염소의 음색을 알기에

함께 갔으나

연회宴會는 고기를 즐기고 있었다.

선수들은 우루루……,

모든 나라 기들이 날아 내린다.

바위는 잡목림 그림자들에서 마구 뛴다.

귀찮은 승리는

유쾌한 패배.

내면은 보이지 않으나

그녀를 결재 서류에서 읽는다.

식량은 집안들을 기웃거린다.

십자가에서 내려오자

보현보살은 하늘꽃을 보인다.

그래 어렸을 적에 본

산속 별들이

책상에서 꽃들 피는 요즈음

속도는 결정을 스스로 지운다.

적막한 힘으로서

합장이 목련 피는 개머리판,

어불성설語不成說하기 전에

불성언어不成言語합세다.

내 딸만한 버스 차장의 가슴은

와서 기쁠 것 없고

떠나 슬플 것 없어

없는 것을 없애는 전시展示,

음색音色은 털옷을 짠다.

뜻을 없애면서

말씀은 완성한다.

완성에 갇힌 말씀,

소리는 털이 난다.

관棺은 만조滿潮였다.

반대 방향은 노름판이었다.

불성언어不成言語하기 전에

어불성설語不成說합세다.

비늘[鱗]은 잎새마다 불을 켜는데,

없는 뜨락과

거두어들인 낙태로

자라나는 황금,

철鐵에서 안내를 받은

부정不貞한 목젖은 질의質疑한다.

삼국 시대는 쓸쓸한 배필이었다.

고구려는 유전油田 지대였다.

"우리는 성지聖地올시다.

예수님과 함께 목욕했어요.

친구들은 지구를 날아다니는

공자님여요.

그는 호텔의 웨이터올시다,

인욕忍辱과

자비慈悲."

아랑 드롱은 거울을

돌아보며 표정한다.

"사약死藥은 찾아도 없군.

누가 치웠을까, 제기랄."

예전에 우거진 신록新綠들아

지상은 이제사 다 성인聖人이구나.

차창은 양철 지붕들을 지나간다.

다리[橋] 저쪽에 서 있는 여자여,

허무는 탈선한다.

무관심은 길[路]이었다.

물고기가 떼지어 꽃들 핀 숲을

피차彼此가 하나인 머리카락들을

모래로 증명하였다.

피임避姙은 여관에서 문명文明한다.

고 · 금은 같은데

남 · 여는 역시 다르다.

해가 지는 폐선廢船을

소리만 남기고 사라진 기타를

노름판에 내던진 태양 상표太陽商標를

우리는 본다.

사람마다 나의 세세생생世世生生'일세.

세상에 남은 없네.

나 아닌 목숨은 어디에도 있네.

그래서 현실은 사실이 아니며

사실의 뒤가 현실이었다.

매일이 나오는 탯줄이다.

귀는 종소리

스스로 듣느니,

식물이 산고産苦하는

무無의 광명을

누구나 믿는다.

진실은 없어도 가치가 있었다.

그녀의 살갗인 논밭으로

출생 전의 고향으로

출발과 도착은

베란다에서 만났다.

서로는 너무나 어둡기에 반가웠다.

선線들은 풍만한데

용안육龍眼肉으로 좁아든다.

당신은 없는 젊음을 위해서

그들을 용서하시고

보다 많은 이름들을 위해서 편안하시고

우연마저 없다면 자화 수정自花受精하소서.

태반胎盤은 아름다운 병명病名이었다.

무게[重]가 스스로를 벗는다.

계절은 떠나서 익[熟]는다.

버리는 작업으로

수확은 우리의 것이기에

기도는 하늘에 발자국을 남긴다.

여의주를 희롱하는 삼재三災·로구나.

우리는 흔해빠진 팔난八難·을

아주 귀엽게 길들입시다.

오십 년 만에 조국에 돌아온

할머니 말씨는 경상도 사투리더라.

"아내여, 등을 좀 긁어다오."

연기는 가득한데

무엇을 찾나.

생각은 옥玉돌로 판 기린麒麟을 타고

오염을 걷어내다가

이만 저물어서

비정非情의 결백을 지나

경주에 이르렀다.

한 노인이 아침에 와서

감[柿] 한 쌍을 주더라.

신라의 이슬은 마르지 않았더라.

수모受侮는 떠나와서 사는가.

서로는 떠나면서 원망하기 전에

보내면서 축복하였느니라.

그러한 일과 저러한 일도 없으면

육식肉食 식물들이 세상을 차지했을 것이다.

저만을 염려하는 목숨이 세상을

남들에서 읽고는 한다.

모를 일만 늘어나

눈을 감고서 광명이 된다.

그녀에게로

차별은 이제사 없어진다.

돌[石]의 움직임은

불[火]을 먹고 사는 꽃,

보고報告는 실직한 강조強調처럼

귀를 기울인다.

약질弱質은 심심하지 않았고

겨울 밤도 짧더라.

귤橘과 들[野]이 뭐라건 간에

동록銅綠은 순례巡禮한다.

날개는 별을 떠나 염원한다.

녹음綠陰은 쓰레기통에서 솟아 있었다.

샘물은 죽음도 뜻을 얻어 연주한다.

누구나 혼자는 아니었다.

그림자에 찔린

보석의 즙汁을 마시라.

책들은 합리성에서 벗어나

어느 나라도 가난하지 않았다.

생각은 물질이며

기억은 현재며

침묵을 글로 쓰는

유연類緣의 해바라기.

잊으면서 찾은 길은

움직이지 않고 온 길이다.

지퍼가 달린 거울 안에서

곰팡이들은 변화한다.

그래서 연인은 혼자가 아니다.

그림자는 빛을 찔러

숲이 날으는 물과

풍악風樂하는 바위들이다.

연인은 혼자가 아니었다.

도둑의 법에서

저무는 손[手]에서

풀라스틱 냄새가 난다.

달걀 프라이를 먹는 마네킹,

비밀은 팬티를 벗는다.

뒷면을 공부해야지

목련은 개머리판에서 핀다.

우리가 잠을 잘 때

한낮인 그들은

나의 형제이다.

우리가 일을 할 때

밤중인 그들은

나의 휴식이다.

시간은 다르나 때[時]는 같아서

보다 총명한 도움은

떠나면서 돌아온 곳이다.

새[鳥]들은 낙엽지면서

낙엽이 날아오르면서

공중은 속삭인다.

TV 사극에서

한 노인이 형을 받게 되자

아들은 자청해서 대신 죽는데

증오로써 집행하려는지라.

"소원은 비명 횡사

하나 살려봤으면."

목숨을 만드는 밀실密室,

여자여, 그의 말씀은

그의 것이 아니다.

찾은 것이 아니다.

없는 데서 생긴 것이다.

심심산천深深山川은 범[虎]의 웃음을 웃네.

신무기新武器들의 연주회 날

거울 앞에 설 적마다

그는 아내와 함께 있었다.

애정은 완전 범죄,

돌[石]의 감각과

전지剪枝는 흐른다.

나의 생각은 대체로 잘못이었다.

'우리가' 아니라

'그들은' 이었다.

연극 내용은 흥정감이었다.

해바라기는 밤에만 무녀巫女였느니라.

가치 때문에 결례缺禮했다면

서로가 문안합시다.

무색광無色光은 다투지 않아

누구나 무색광을 반긴다.

아무도 무색광은 될 수 없어

넉넉한 이별

가난한 포옹은

무색광을 본다.

환자는 잊으면서 회복한다.

속으면서 열매는 우거진다.

숨으면서 가슴은 수확한다.

플라스틱의 대리 잉태는,

반사의 구심점은

무엇을 주려나.

우리는 약간의 안정이라도 구경하고

평등한 밥을 먹고

어느 정도의 휴식을 가집시다.

그런 일은 욕망이 아닌 수가

욕망은 서로를 돕는다.

불빛은 다리[脚] 모양의 모래 언덕,

잊어버린 언어들 중에서

무엇이 소중한가.

할말이 없어서 글을 쓴다.

시詩는 없기에 필요하였다.

그녀는 걸어가지만

내가 오는 길과 다르지 않다.

만남을 이상하다고 하지 말라.

"미안합니다만

그는 어려운 처지인 만큼

그녀는 풍부한 피해입니다."

책장을 넘길 적마다

아기는 온다.

합장은 개머리판에 핀다.

도둑은 말도 못하는 노환자와

웃기만 하는 아기를 보았다.

도둑은 햇빛이었다.

"하긴 그렇군요."

그들은 반대로 합쳐

하기 싫은 대화를 유희遊戱한다.

내 밭을 일구어 놓은

내의內衣의 무무무無無無는 한계인가.

바위는 바다의 눈을 뜨는가.

아픔은 치료를 받는가.

입사각入射角한 불살생不殺生 주문呪文은

돌[石]의 음색이었다.

용납하는 치졸을 아는가.

비록 없대도 우리의 것이다.

찰나에 생멸生滅하는 목숨들은 몇 겁劫인가.

우주들은 순간마다 몇 번씩 생멸하는가.

왜 그러는지를 알겠네.

왜 말하지 말라는가를 알겠네.

과연 그랬을 바에야

다시 그럴 수는 없었다.

나는 혼자서라도 찾아야 하는가,

보이지 않는 풍경을

눈으로 확인하기까지.

누구나 불가능에서 주인공이었다.

불신을 믿는 그는

산을 찾아들지만

역시 쓸데없는 일일까.

무슨 소용이 있다는 말인가.

서둘러서

무엇을 한다는 말인가.

번개불로서 흐르는 젖[乳],

위로慰勞는 알 것이다.

뻐꾸기는 옛날에 목을 축이며

실패한 리봉은 퇴원한다.

전신주는 계속 지평선을 넘기며

문제는 제각기 마음대로 돈다.

땅에서는 총소리

날개는 방황한다.

그것만은 몰랐던 서로의 믿음이

쫓기면서 흰 눈으로 쏟아진다.

솟아오르는 물방울마다

논 · 밭이어서

물은 짓밟혀 자라난 인정이다.

전통은 벽마다 소리쳐 흐른다.

너는 별것도 아닌 행복을

대단한 것으로 여기지 맙시다.

그래요 음성을 높이거나

귀를 기울이지 맙시다.

우리는 아무것도 아닌 이야기를 합시다.

그래요 비범한 짓부터 버립시다.

교도소에서 따온 복숭아들입니다.

마음대로 살아본 적이 없어서

시키지 않는 짓만 했나 보다.

어지러이 치는 북소리

한밤에 온 여자여,

보다 더한 잊음은 연꽃 핀다.

관棺을 타고 날으는

조종사는 무덤이 없다.

병신은 효자를 두었네.

재산은 무엇인가.

남남끼리 살지만

서로가 친한 사이로세.

이혼한 황금이 어떻다는 말인가.

문명의 부작용이 어떻다는 말인가.

혼음混淫하는 대자연이 어떻다는 말인가.

흔한 위안은 살 수 있지만

드문 고독은 배울 수도 없네.

돈으로 바꿀 수는 있지만

필요 이상으로 긴한 것은 없었다.

우리는 대답을 들어봅시다.

서로는 과연 남일까.

구름이 피어나는 북소리,

하늘은 다르지만

변화는 아름답다.

그의 기도에는 종교가 없었다.

아이들이 돌아올 시간이다.

모두가 아는 일은 말하지 말며

누구나 믿는 일을 한다.

삼국 시대였다.

소진蘇秦 · 장의張儀˙ 따위로는 따르지 못할

우리가 모르는 이름이 있어

그 이름은 어쩌다가

앉은뱅이가 됐는지

연꽃다운 혀[舌]가

연기[煙]로 승천했는지

아마 처용處容쯤은 알 것이다.

그는 그녀를 적신다.

뇌성벽력에 모여드는 장남감들인가,

하늘은 흙에서 흐른다.

종소리는 직업병과

미혼모 사이를 흐른다.

발이 떨어지지 않는다며

엄살을 피던 상두꾼들의 슬기,

죽지 않는 황진이는 아름다워라.

허구많은 우연에서

죽음 한 번 살려봤으면

별것도 아닌 나날에서 늘 감사했으면

바보 되어 인자했으면

자기 아닌 근심은

왜 어리석은가.

신문에 떠오르는 달이다.

음악은 차車를 몬다.

돈 안 되는 일에 일생을 허비하고

굶지 않는 부끄러움이 앞선다.

나무들은 지나간다.

멸종하는 날개야,

이민 비행移民飛行은 사라지고

지식은 가정이 없어

손톱 · 발톱들은 의논한다.

하고 싶은 일은

하기 싫은 말들뿐일세.

시간은 홰를 치는 닭 소리를 들으며

혼자서 항해한다.

어차피 인욕忍辱은 필요하였다.

내가 그녀임을 알기 위해서

우리의 사이는 없어진다.

하늘의 파도는 노래한다.

오자誤字에서 발견한다.

거품 하나를 만졌더니

우주는 가려워서 킬킬 웃더라.

그녀가 나를 기르는 공간은

재채기에도 나부끼는 물정物情,

새싹이 차잔 안에서 다시 피는

한겨울이 고향일지라도

하기 싫은 말은 않는다.

늦을수록 좋다면야

잊은 뒤에도 믿느니

그러므로 누구나도 아는 일을

말하지 않는다.

그래서 그녀는 내가 된다.

우리는 알건만

그들은 모른다.

어렸을 때의 기도는 별들이었다.

사실은 없는 가치를 보는 눈[眼],

무엇이 무엇을 만드나.

궂은비는 무성하였다.

영생은 안팎이 없었다.

그들은 모두가 하는 일을 본다.

그래서 우리는 한 몸이다.

위대한 신은 제물에서 살아나느니,

네가 떠나야만 길이 된다.

그녀가 와야만 빛이 된다.

없는 가치를 위해서

고성능 정밀기로 접속할까.

결혼을 권해볼까.

목숨에 선을 그을까.

어디로 달아날까.

구름은 바다를 먹는 폐물廢物.

아내여, 자기 손이 닿지 않는

등[背]의 일부분은

서로를 필요로 하는 도움,

그 작은 터전이 우리인 것이다.

"거울에서 꽃피는 알을 보십시오."

그것은 덜[滅]면서 형태를 이룬다.

더 이상 지울[消] 것이 없을 때

"거울에서 알을 낳는 꽃을 보십시오."

때로는 정당한 죄를 읽으며

때로는 용기로써 양보하며

삶은 잘못이 아니기에

거울[鏡]은 흐른다.

그럼 병인가.

보답을 바라거든

믿지 말라는 법法인가.

모를 일은 어리석었다.

"난 쫓기고 있어

우리 한번 만나자구.

간절해, 필요하단 말이야."

"선생님, 그럼 시구문 밖

서일瑞日 호텔에서 기다리겠어요."

"또 거짓말은 아니겠지."

"이번만은 두고보세요."

그녀의 거짓말에는

단춧구멍이 나 있었다.

"선생님, 난 경성京城 형무소에서 났대요."

남자는 여자의 속옷으로 바꿔 입는다.

그림[畵]은 사중주四重奏였다.

"그래요, 그런 말은 가치가 없어요."

조선祖先들이 살다 간 나의 체험을

뒤에 오는 아이들은 비켜서 갈까.

산은 구름을 따라 돌아오는데

새는 내 기억에서 날고 있었다.

돈 외에는 믿음도

힘 외에는 자랑도 없었다.

소외당한 새[鳥]는 결점인가.

실수를 믿으라.

한 마리[匹]의 바다[海]여.

실수 없이는 성립하지 않는다.

천체는 실수로써 돈다.

생각은 이면이언만

쓸데없이 합리화한다.

도덕은 강요하지 않아

못을 박아서 젖은 흐른다.

짐승 가죽을 입은 창窓이여

장벽은 원래가 없었던 것이다.

모르는 곳을

쓰다듬어주는 일이다.

내 눈이 안 닿는 터전을

그녀의 손[手]은 본다.

어느 정도의 쓸쓸한 신앙

어느 정도의 피곤한 보람

어느 정도의 골칫덩이인 식품은

언제나 어느 정도가 귀중하였다.

흙은 해 뜰 것이다.

해는 깜깜한 내일로 솟을 것이다.

없는 것이 없구나.

죄 많은 만족을

열차는 지나간다.

나는 섬들에서 나[我]를 찾았다.

별이여, 상처를 보아다오.

동류同類를 먹는 목숨은 무엇인가.

너는 비웃으면서 존경을 바라는가.

반점斑點이 생긴 공기에서

그리고도 그러지 않을 누가 있는가.

자유로운 돌일세

영생하는 비닐 봉투로세

쇠(鐵)로 만든 평화로세.

한 번으로 끝난 탈출,

잎들이 지는 바람은

후회마저 쓸어버린다.

과학은 기도 중입니다.

그날은 그림 속의 시계소리를

떨다가 꿇은 무릎을

동화童話로 데리고 갑시다.

못하는 짓이 없기에

보다 소중한 일은 무엇인가.

내 손이 닿지 않는 곳을

아내는 본다.

계절만한 잎들이 지기로서니

들[野]을 덮는 배[船]가 오기로서니

날마다 반신불수와

밤마다 오는 비는

동청冬靑일세.

내외여,

안 보이는 데를 긁어주는

못 보는 곳에 약을 바르는

그녀의 손은

그의 눈[眼]이로세.

편집자 주

- OAS ── Organization of American State. 1948년 4월 콜롬비아의 수도 보고타에서 개최된 제9회 범미 대회에서 조직된 미주 지역 국제 연합의 협력 기관.
- 경출 백유일장은 천화락 천화락 ──『삼국유사』제3권「원종흥법原 宗興法 염촉멸신厭髑滅身」, '獄吏斬之 白乳湧出一丈 天四黯黪 斜景爲之 晦明 地六震動 雨花爲之飄(옥리가 목을 베니 흰 젖이 한 길이나 솟구쳤 다. 하늘은 침침해지고 사양이 빛을 감추고 땅은 진동하는데 천화天花 가 내려왔다)'. 여기에 근거해 변용한 듯하다.
- 계사 ── 주나라 문왕과 주공이 역易의 괘卦와 효爻 아래 써넣은 설 명의 말.
- 고산자 ── (?~1864) 조선 시대의 지리학자 김정호의 호. 전국을 답 사하여 대동여지도를 만들었으나, 국가의 기밀을 누설하였다는 죄명으 로 옥에 갇혀 죽었다.
- 관심 ── 불교에서, 자기 마음의 본성을 밝히어 살피는 일을 이름.
- 관자재보살 ── 관세음보살.
- 대동문 ── 조선 태종 때 평양에 창건된 문.
- 무량수광 ── 무량수는 아미타불이나 또는 그 국토 백성들의 목숨이 한량없는 일. 또는 한없는 수명.
- 보타락가산 ── 관세음보살이 있다고 하는 산.
- 보현보살 ── 이지理智와 깨달음의 덕을 갖추고 석가의 포교를 돕는 보살.
- 불이문 ── 불이법문不二法門을 뜻하는 듯함. 팔만 사천 법문 중에서 제일 의제義諦를 이름.
- 삼생 ── 불교에서, 전생, 금생, 후생을 이르는 말.

- 삼십이상 ─── 부처가 갖춘 서른두 가지 뛰어난 신체적 특징.

- 삼재 ─── 불교에서, 세계가 파멸할 때 일어난다는 세 가지 재해.

- 삼천대천세계 ─── 불교에서 이르는 상상의 세계. 수미산須彌山을 중심으로 이루어진 한 세계의 천 배를 소천 세계, 그 천 배를 중천 세계, 중천 세계의 천 배를 대천 세계라고 한다.

- 삼함 ─── 절에서 몸, 입, 뜻을 삼가라는 뜻으로 거처하는 방에 써 붙이는 글.

- 서숙밭 ─── 조밭을 일컫는 말인 듯함.

- 세세생생 ─── 불교에서, 몇 번이고 다시 환생하는 일.

- 소진 · 장의 ─── 합종설合縱說을 주장한 소진과 연횡설連橫說을 주장한 장의는 중국 전국 시대의 모사로 전국 시대 책사策士의 1인자로 병칭並稱된다. 소진장의는 그들처럼 말솜씨가 매우 좋은 사람을 일컫는다.

- 아돌프 아이히만 ─── Adolf Eichmann. 2차 세계 대전의 전범으로 1962년 처형됨.

- 연위공영락/시신시궁인 ─── 나이도 늙고 벼슬도 떨어지니/비로소 시가 사람을 궁하게 하는 줄 알겠다.

  진부득상합/퇴부득상망 ─── 나아가도 서로 합하지 못하고/물러나도 서로 잊지 못하네.

  결발동침석/황천공위우 ─── 혼인해서 침석을 같이 하고/죽어서도 함께 벗이 되네.「고시古詩 위초중경처작爲焦仲卿妻作」에 있는 경구.

  척피기혜/첨망모혜/모왈차여계/행역숙야무매/상신전재/유래무기 ─── 저 푸른 산에 올라/어머니를 바라보노라니/어머니가 말씀하시기를 "아! 내 막내아들/전장에 나가 밤낮으로 자지 못하겠지/부디 몸조심하여/우릴 버리지 말고 돌아오너라" 하시겠지.『시경詩經』「위풍魏風」'척고陟岵'의 제2편 효자孝子가 전장에 나가 부모 형제를 생각하며 부르는 노래.

- 완당 ─── (1786~1856) 조선 시대 서화가이자 문인, 금석학자金石學者인 김정희의 호. 추사秋史라는 호가 널리 알려져 있다. 학문에서는 실

사구시實事求是를 주장하였으며, 서예에서는 독특한 추사체를 대성하
였다.
- 완화초당 —— 중국 사천성에 있는 계곡 완화계에 두보杜甫가 세운 초
당.
- 우담바라 —— 삼천 년에 한 번씩 꽃이 피어 전륜성왕轉輪聖王이 나온
다는 상상의 나무.
- 유마 —— 석가의 재가在家 제자. 그가 쓴 『유마경』에 "중생이 아프니
내가 아프다"라는 구절이 있다.
- 제세약방 —— 세상을 구제하는 약방. 즉 약사여래를 가리킨다.
- 천백억화신 —— 불타의 헤아릴 수 없이 변화하는 몸.
- 칠보 —— 불교에서 이르는 일곱 가지 보배.
- 타화자재천 —— 육계 육천六界六天 가운데 맨 위의 하늘로 이곳에 태
어난 이는 남의 즐거움을 자기 즐거움으로 바꿀 수 있다고 한다.
- 태허 —— 기의 본체를 이르는 말. 우주. 하늘.
- 팔난 —— 부처를 볼 수 없고 불법을 들을 수 없는 여덟 가지 어려움.
- 평제탑 —— 백제 5층 석탑. 1층 옥신屋身에 백제 31대 의자왕 20년
나당 연합군이 백제를 친 기념으로 '대당평백제국비명大唐平白濟國碑
銘'이라고 새긴 것이 있어 평제탑이라고도 함.
- 하관 —— 시모노세키.

현대 시와 존재의 깊이—김구용 「3곡」에 대하여*

김현 | 문학 평론가

* 비평가 김현의 이 글은 1965년 『세대』 3월호에 발표되었다. 김현은 당시 잡지에 연재된 김구용의 「3곡」을 텍스트로 삼아 깊은 분석과 비평을 가했다. 김현의 이 뛰어난 평문에 인용된 「3곡」은 이후 시인에 의해 몇 차례 가필과 수정이 이루어졌고 그 최종 교정본이 바로 이 시집에 수록되었다. 그리하여, 김현의 평문에 인용된 「3곡」과 이 시집에 수록된 「3곡」은 서로 차이가 있게 되는데, 그 차이는 김현의 비평적 내용과 거리를 두지 않는 차이이기 때문에 평문 속의 인용 시는 수정하지 않고 그대로 둔다. 김현의 평문은 『김현 전집』 3권(문학과 지성사, 1992)에 수록된 원문을 좇아 거의 그대로 싣는다.

—편집자

현대 시와 존재의 깊이

나는 홀로 있었다. 나는 기다리고 있었고 나의 모든 작품들도
또한 기다리고 있었다. 어느 날, 나는 발레리를 읽었다. 그리고
나의 기다림이 끝났다는 것을 알았다.

이렇게 릴케는 아주 감동적인 어조로 말하고 있다. 그리고,
'기다리고' 있는 것은 릴케만이 아니었을 것이다. 확실히 나도
기다리고 있었다. 무엇인가가 와서 김춘수의 표현을 빌면 "나
의 의미"가 되도록 나는 기다리고 있었다. 이상의 작품 몇 편,
김춘수, 전봉건의 작품 몇 편들은 나에게 기다리기를 강요하고
있었다. 그래서, 나는 기다리고 있었다. 그러나, 나의 발레리는
나타나지 않았다. 그런 뜻에서 릴케만이 행복할 터이었다. 그
러다가 나는 김구용金丘庸의 「3곡三曲」을 읽었다. "그리고 나
의 기다림이 끝난 것을 알았다" 라고 나는 말하려는 것이 아니
다. 그러기에는 「3곡」은 너무나 '힘' 이 많은 작품이다. 그런데
도 나는 「3곡」을 읽고, 나의 기다림의 가능성을 알았다. 정말로
언제인가 나의 기다림을 끝내어줄 작품이 나타나리라. 그러기
위해서 미리 깊이의 시인 「3곡」을 자세히 읽어볼 필요가 있다

고 나는 생각한다. 그리고 사실에 있어 그것은 아주 중요한 작업일 터이다.

「3곡」은 성공한 작품이다. 우선은 그렇게 말해야 할 것이다. 「3곡」은 읽히기 때문이다. 아주 산문적인 행위의 노출이 「3곡」에는 있다. 그렇기 때문에 「3곡」은 읽혀지는지 모른다. 물론 「3곡」의 행위는 언어 속에 녹아서 언어의 내부를 형성하고 있다. 그러나 그 언어의 내부에서 언어의 벽을 뚫고 나오려는 강한 행위를 본다. 그것 때문에 「3곡」은 읽혀지는지 모른다.

어떤 주의主義를 위해서
유방乳房이 생겨난 것은 아니다.

이렇게 아주 사람들을 곤혹시키는 시구로 「3곡」은 시작하고 있다. 그리고, 도처에서 난삽한 시구들은 독자들을 습격한다. "의미를 다 암살해버리면/뭣이 나타날까……" 하고 김구용 자신이 말하고 있긴 하지만, 의미가 말살된 듯한 시구들이 도처에서 나타난다. 거기에다가 난삽한 것은 의미가 암살된 듯한 시구들만은 아니다. 언어라는 두껍고 찐득찐득하고 헤어나기 어려운 성벽을 뚫고 나오려고 바둥거리는 「3곡」의 행위 역시 혼란되고 엉클어져 있다. 언어 속에 응결된 채로 행위는 그 난삽한 면을 드러내놓고 있다.

나는 상관에게 대답했다.

"아직도 판단이 서지 않습니다."

이렇게 갑자기 「3곡」의 주인공은 말해버린다. 그리고 이것
은 「3곡」을 대하는 독자의 소리일 수도 있다. 「3곡」을 말해주
고 있는 '수줍은 사나이' 의 그 불투명한 의식 속으로 완전히
들어갈 수 없는 우리는 그의 의식이 들려주는 이 언어 앞에서
당황한다. 프루스트가 말해주고 있듯이 "소유하는 것만으로"
존재하는 이 수줍은 사나이의 과거나 혹은 미래 속으로 우리는
완전히 잠입할 수 없다. 나는 그가 '소유하는 것' 과는 다른 것
을 소유하고 있기 때문이다. 그리고, 내가 그의 의식이 말해주
는, 언어의 벽 속에 응결한, "숙명으로 변해버린" 그의 행위를
이해하는 것은 바로 그의 언어를 통해서이다. 「3곡」은 시구의
난삽성과 언어 속에 묻힌 행행行行의 난삽성으로 아주 난해한
시를 이루고 있다. 그러나, 이러한 난삽성은 작자의 미숙에서
오는 것은 아니다. 발레리는 작품의 난해성에 대해, 만일 그 작
자의 미숙에 의해 그것이 생겨나지 않는다면 어쩔 수 없는 필
연성을 가지고 생겨나는 것이라고 말하고 있다. 왜? 왜 필연성
을 가지고 시의 난해성은 태어나는 것일까.

내 생각으로는, 난삽성이란 세 가지 순서의 이유 때문에 생
겨난다. 처음 이유는 작가에게 주어지는 주제의 어려움에서 온
다. 이러한 경우에, 작가가 명확함을 기하면 기할수록 작품은
읽기에 어려워진다. 두번째로는, 시인에게 부과되어 있는 수많

은 독립적인 조건들 때문이다. 만일 시인이 조화와, 이 조화의 연장, 조형적인 효과의 단속됨, 사고 자체의 단속됨, 그리고 우아함과 구문의 유연함을 만족시켜려 한다면, 그리고 그가 전체를 고전적인 운율의 틀 속에 끼워넣기를 원한다면, 그의 노력의 복잡함이, 그가 충당하였던 조건들의 독립성이 그로 하여금 그의 스타일에 대해 머리 쓰게 하고 그의 작품의 마티에르를 아주 단단하게 하고, 독자의 정신을 어지럽힐 압축 혹은 생략법을 써야만 하는 경우를 만들고, 또 그래야만 하는 것이다. 세 번째의 이유는 이 두 가지의 다른 요소들의 혼합에 지나지 않는다. 즉, 그 이유는 아주 오래 연장되어온 작업의 결실이 시 텍스트에 축적되어 있다는 데에 있다.

이렇게 발레리는 프레데릭 르페브르에게 말하고 있는데 이것은 사실인 듯하다. 「3곡」 역시 발레리가 지적한 대로 주제의 어려움과 그 주제의 어려움을 한계가 있는 언어로써, 더구나 시로서 표현하려는 데에 그 난해성의 원인이 있다. 그런데도 「3곡」은 우선 읽힌다. 왜? 왜 「3곡」은 그 시어의 난삽함과 이미지의 어려움, 혹은 언어 속에 표백된 행위의 어려움을 가지고서도 우선 읽히는 것일까. 나도 모른다. 다만 내가 한 가지 말할 수 있는 것은 「3곡」의 내레이터인 이 '수줍은 사나이'가 체험한 행위의 기이함, 혹은 비속하리만큼 노골적인 성적인 장면 때문에 이 긴 시는 더욱 쉽게 읽힌다는 그 사실뿐이다. 829행이나 되는 긴 시의 50행도 되지 않는 곳에서 독자들은 「3곡」의 수줍은 사나이의 비속하지만 재미있는 체험에 부딪힌다.

    그런데 술집 처녀가
    손을 넣어보더니 웃는다.
    "당신 것 참 크네요."
    수줍은 사나이가 묻는다.
    "얼마면 될까."
    "훌륭한 체 마세요. 그러단 타락해요.
    난 서뽈에서도 병원에서도
    받아주질 않는 걸요. 안심하세요."

    아무런 신경을 쓰지 않고, 마치 S. 몸의 소설 한 부분을 읽
는 것 같은 이러한 구절 때문에 도처에서 독자들은 당황하면서
도 계속하여 「3곡」을 읽어나간다. 그리고 「3곡」을 이루고 있는
몇 개의 비속한, 그러면서도 아주 기이한 체험으로 하여 독자
들은 안심한다. 그리고, 그 체험이 자기 생의 어느 순간에 이루
어진 것임을 알고 다시 기뻐한다. 그리하여 「3곡」은 우선 티보
데가 말하는 리제르liser 가 아닌 다른 독자들에게 공감을 얻는
다. 그것은 읽히기 때문이다. 「3곡」의 첫 행을 읽고 놀라던 독
자들은 「3곡」 속에 표백되어 있는 수줍은 사나이의 '재미있
는' 체험에 안심한다. 그리고, 시라는 어려운 '언어의 틀'을 통
해 비속한 자기들의 경험이 높은 차원으로 이끌려 있음을 알고
오히려 기뻐하기도 하리라. 그러나, "의미를 다 암살해버릴"

수 없고 남의 의식을 통해 자기의 존재 이유를 확인하려는 리제르들은 다시 「3곡」을 읽는다. 그리고, 보다 높은 의미에서 「3곡」과 동의한다. 그러면, 읽히운다는 점에서 성공한 「3곡」이 갖고 있는 '사고의 틀'과 그 사고를 정확히 표현하려 한 '언어의 틀'은 무엇인가.

직관적 인식의 환상으로 언어가 취급되고 있다는 점에서 「3곡」은 분명히 초현실주의의 한 유형이다. 확실히 명석하고 현명한, 언어를 다루는 시인들은 거의 모두 낡고, 시들고, 생기 없고 메마른 습관의 언어를 '벗겨' 그 진정한 상태에 도달하려 한다. 언어는, 진부한 의식의 때[垢]가 끼고끼여 낡아 닳아진 언어들은 항상 도처에서 우리를 기다리고 있다. 그리고, 우리는 손만 내밀면 된다. 손만 내밀면 언어는 그 때묻은 모습으로 우리에게 다가온다. 그리하여 우리들은 '무서움'을 말하고 '환희'를 말한다. 로브-그리예가 말하듯이 아주 엄격한 의미에 있어서 '무서움'이란 없을지도 모른다. 그리고, 있는 것은 무서움 대신에 '무서운 것들' 뿐인지 모른다. 그런데도 우리들은 언어를 고집하고, 모든 것에 그 낡은 언어를 부여한다. 그러다가 언어로 환원될 수 없는 경험에 부딪힐 때 우리들은 당황한다. 우리들은 그것을 모르기 때문이다. 언어 없이 자극된 신체의 감각, 혹은 경험을 우리가 어떻게 알아낼 수 있단 말인가. 이렇게 하여 우리는 '말할 것'을 잃어버린다. 그것을 우리는 표현할 길이 없는 것이다. 이렇게 되면 "아무것도 말하지 않기 위해서" 시인들은 말해야만 한다. 언어의 학대이다. 때묻고 낡은 언어를. 그리하여 언어로 표백할 수 없는 것을 표백하기 위해 시인들은 학대한다. 언어의 가능한 영역을 모두 늘리고 교감시키고, 그리고 찢어내고 접합하여 시인들은 표현할 수 없는 것을 표현하려 한다. 김구용의 모든 작품은 시간과 공간의 올 속에 끼인 이 표현될 수 없는 근원적인 경험을 언어로 표백하기 위한 오랜 노력의 결정들이다. 그리하여 김구용은 자주 "우리는 의미 없이 언어를 사용하였다"(「말하는 풍경」)고 말하고 있다. 김구용의 노력은 그래서 "돌 속에서도 하늘을 여는" 참된 노래를 얻는 것이다. 김구용의 독특한 표현법은 그래서 생겨난다.

예 1 | 타는 듯한 지난날이었건만, 한번 본 그 후로, 회화화繪畵化한 기억記憶이 송림松林 사이 낡은 법당에서, 월향月響을 들으며 반사反射하였다.

　　　　　　　　　　　　　　　　　　　　　　　　—「말하는 풍경」

예 2 | 해소海嘯에 자라나기를 천년도 거듭한 듯한 합각蛤殼의 용적容積에, 담겨진 포도, 레몽, 능금이, 고금古今을 연결하는 초점이라면, 내가 앉아 있는 의자의 전면에 걸린 석경石鏡에선 내 배후의 광경이, 초점한 심리心理처럼, 무언無言의 동작으로 변화를 전개하고 있다.

　　　　　　　　　　　　　　　　　　　　　　　　　　　　—「위치」

예 1의 시구에서 시인이 노리고 있는 이미지란 명백한 듯하다. 그것은 달빛이 비치는 낡은 법당에서 그림처럼 추억이 떠오르는 것을 말해주고 있다. 그 시구가 포함하고 있는 산문적인 행위는 바로 그것이다. 그러나, 그것만으로 이 시구는 끝나지 않는다. '월향月響,' 혹은 '반사反射,' 그리고 '회화화繪畵化'라는 시구들은 김구용이 노리고 있는 시각적 이미지와 청각적 이미지의 교감을 보여주고 있다. 이것은 서툴고 고의적인 표현이라기보다는 어쩔 수 없이 언어로 표현될 수 없는 것을 표현하기 위한 하나의 '비재非在의 언어화'일 따름이다. 예 2 역시 마찬가지이다. 그것의 산문적인 행위는 무엇인가. 누구나 이렇게 물어볼 것이다. 이 약간 기괴한 시구에서 우리는 '해소海嘯' '합각蛤殼' 등의 어려운 시어들을 만나기 때문에 더욱 당황한다. 그러나, 이 시구가 포함하고 있는 산문적 행위란 아주 간단한 것이다. 다방의 한구석에 석경石鏡이 있고 그 석경을 마주 바라보며 "포도葡萄, 레몽, 능금"이 담겨진 컵을 놓고 시인이 석경에 비치는 배후의 변화를 눈여겨본다는 것이다. 확실히 이렇게 말해버리면 그것은 너무나 간단하다. 그러나, 시인에게는 그것은 그 이상의 무거운 의미를 가지고 있다. 그래서 그는 "용적에, 담겨진"하고 노래하고 있다. '용적에'와 '담겨진'은 분명히 산문적인 행위의 연결로 본다면 콤마를 필요로 하진 않는다. 그러나, 시인은 이 행위를 '표현하기' 위하여 콤마를 치고 있다. 이렇게 "돌에서 진정한 노래"가 나오게끔 김구용은 노력한다. 그러면 그러한 노력의 배경은 무엇인가.

그는 어떠한 시학에 서서 자기의 "언어로 표현되지 아니할 것"을 표현하려 하는 것일까. 그의 시론인 것처럼 보이는 「위치」에서 그는 "그러므로 호흡에서 시구는 유출하며, 주전자라든가 지붕 위를 날아가는 여객기로부터도 정확한 감성과 심상과 표현을 기다" 린다고 말하고 있다. 여기서 우리는 "해부용 테이블 위의 기관총과 우산의 마주침" 이 초현실주의라는 막스 에른스트의 말을 상기한다. 그것은 직관적 인식에 대한 환상을 말하고 있다는 데서 동일하기 때문이다. 이렇게 하여 두 개의 아주 떨어진 레알리테의 마주침으로 새로운 경험의 언어를 창조하려 하고 있다는 점에서 김구용의 '표현 양식' 은 아주 초현실주의적이다(분명히 김구용은 조향趙鄕 같은 사이비 초현실주의자는 아니다. 다만 초현실주의적 이미지의 흔적을 가지고 있다는 점에서 김구용은 초현실주의적일 뿐이다). 그리고 「3곡」도 여기에서 벗어나지 않는다. 그러면 김구용이 「3곡」에서 시도하고 있는 초현실주의적 이미지의 흔적을 찾아보자.

예 3 | 석탄의 이면은 감[柿]이었다.

이러한 시구 앞에서 석탄과 감이라는 너무나도 동떨어진 레알리테의 마주침으로 모두들 약간은 놀란다. 그러나, 이것은 말라르메가 시도하였던 '베르[詩句]' 와 '베르(술잔)' 의 동음이의와 아무것도 다른 것이 없다. 김구용은 구태여 감 아래에 괄호를 하고 시柿를 적어넣었다. 그것을 주의해야 할 것이다.

그러면 김구용이 말하려 한 것은 간단해진다. 감[枾]은 그 어음이 말해주듯이 아주 비속한 의미의 여자 성기를 가리키고 있다. 석탄이라는 검은 이미지는 더욱 그걸 잘 말해주고 있다. 그러면 왜 김구용은 직접 그것을 말하지 않고 그렇게 사람을 당황하게 만드는 것일까. 그러면 아마 김구용은 반문하리라. 직접적이라는 것은 무엇을 말하는 것이냐고. 우리로서 말할 수 있는 것은 김구용이 그렇게밖에 표현할 수 없었다는 바로 그 사실뿐이다. 「3곡」은 그리고 거의 전부가 이러한 난해한 이미지로 연결되어 있다.

예 4 | 슬픔을 개폐하는 다리 밤의 발광점發光點
　　　보살의 초생달 눈썹

그러다가 이러한 시구들 앞에서 우리는 더욱 당황한다. 그것은 무엇을 말하는가, 하고 우리는 곧장 반문한다. 우리가 당황하는 것은 타인의 어휘를 우리의 어휘로 연역하지 못할 때 생겨나는 법이다. 허위일지라도 우리에게 우리의 어휘로 연역된다면 그것은 진실로 변한다. 그래서 "허위는 거룩하다"고 김구용은 말한다. 아마 김구용이 노리고 있는 것은 놀람·경악, 혹은 사고의 혼돈일 것이다. 그리고, 이러한 것을 우리는 숱하게 브르통의 시구에서 본다. 다만 우리에게 귀중한 것은 그 어휘의 신선함뿐이다. 그런 의미에서 브르통의 시구가 그러하듯이 김구용의 시구 역시 아주 서정적이다.

예 5 | 바다가 해의 가장자리에 깨어져

　　　옷깃에 주름을 잡는

　　　옛 목조 보살은 미안하도록 아름다워라.

예 6 | 초침으로 달려와서 창에 부서지는 바람

예 7 | 혼선에 동전만한 달이 걸렸는데

예 8 | 감紺빛에 눈[雪]이 내리는 여름 치마를

　　　입고 나온 첫사랑이

　　　과거의 언덕에 돌아서 있다.

　이렇게 김구용의 시구들은 난삽하고 침투해 들어가기가 어려운 것 같으면서도 그 이미지의 전개에 있어 아주 리리컬하다. 그리고 그것은 품위 있는 시인들의 자질일 터이다. 그러나 김구용은 이러한 리리컬한 이미지를 나타내는 데도 여러 가지 방식을 시도하고 있다.

예 9 | 연기 속에서 음화音化하는 아침, 저녁

　　　나의 아버지는 하관下關 부두의 노동자였다.

예 10 | 나는 공간을 만들려고

　　　소음을 파다가

얼어붙은 바다에서 신음하는

도색 영화를 봤다.

예 11 │ 백월白月의 고도孤島의 정신의

짙은 그늘을

예 12 │ 대자대비大慈大悲하다고 생각지 않으십니까.

보살은 언제나, 언제나

나는 대자대비합니다.

여기에 든 몇 개의 시구만으로도 나는 김구용의 이미지를
다듬는 솜씨를 엿볼 수 있으리라고 생각한다. 소위 초현실주의
적 이미지l'image surréaliste에 그 이미지를 등대고 있으면서
김구용은 여러 가지 그 변형태를 사용하고 있는 듯하다. 물론
어떤 것들은 아주 참신하고, 어떤 것들은—가령 349행의 "나
이트 클럽에 솟아난 황금 연기" 같은 것들—아주 진부하기도
하다. 그러나 여기에 들고 있는 것은 거의 성공한 것들이다(거
기에서 아주 지저분한 의식의 찌꺼기들로 구성된 「3곡」이 신
선하고 깨끗한 것처럼 보이는지 모른다). 예 9의 시구는 소위
상징주의자들이—특히 랭보 계통의—즐겨 사용하던 시각적
이미지와 청각적 이미지의 교감을 말해주고 있다. "연기 속에
서 음화音化하는 아침, 저녁"이라는 시구는 "창천은 승리하고/
나는 종 속에서 울려나오는 창천을 듣는다"(말라르메), 혹은

"I. 적색赤色 내뿜는 피, 아름다운 입술의 웃음"(랭보)과 동가치同價値를 형성하고 있는 듯이 보인다. 연기같이 안개가 끼고, 혹은 들어오고 나가는 배의 연기가 부두에 깔리고, 그 연기 혹은 안개 속에서 배의 주절댐이, 선부船夫들의 피곤한 주절댐이 들려온다. 이러한 것들—아주 시각적인 선창船蒼의 모습과 그 소리가 "연기 속에서 음화"한다는 이 시구를 통해 "호흡처럼 유출"된다. 예 10도 마찬가지이다. 공간으로 해서 시각적인 면이 보다 더 강조되고 있을 뿐이다. 그리고, 여기에는 "얼어붙은 바다"에서 뛰쳐나오려는 몸부림까지 보여진다. 11의 예 역시 교감하고 있다. "짙은 그늘"의 주어는 누구인가. 785행에서 우리는 '그들'이라는 복수 주어를 발견한다. 아마도 그들은 노래할 것이다—흰 달의 그늘을, 고독의 그늘을, 정신의 그늘을. 이렇게 백월白月에서부터 의식의 내부까지 차례로 김구용은 보살피고 불러일으킨다. 그리고, 우리는 백월의, 고독의, 정신의 짙은 그늘을 알아봄과 동시에 고도와 백월, 그리고 정신이라는 세 어휘와의 사이에서 미묘한 교감을 알아본다. 이 세 개의 어휘는 서로를 기반으로 하고 서로의 위에 있다. '의'라는 조사 앞의 명사의 순서에 지나치게 관심을 표명할 필요는 없으리라. 이것은 시구이며 산문이 아니기 때문이다. 산문이 아니라는 점에서 행위는 항상 언어의 뒤에 숨어버린다. 이렇게 중첩된 이미지를 통해 김구용은 그 독특한 시의 세계를 이룩하려 하고 있다. 그것뿐만이 아니다. 예 12에서 보여지듯이 김구용은 교묘하게 앞에 연결될 시구를 뒤로 넘겨가고 있다. 22행의 "대자대비하다고 생각지 않으십니까"의 주어는 누구일까? 모두가 대답하리라— '당신'이라고. 그러면 '대자대비하다'라는 형용사의 실체는 무엇일까. 우리는 주저한다. 그러나 우리는 말하고 싶다—그것은 '보살'이라고. 그런데 22행과 23행의 사이에는 넘을 수 없는 벽처럼 피리어드가 찍혀 있다. 그래서 우리는 당황한다. 더구나 23행과 24행의 사이에는 아무런 부호도 없기 때문에 문법적으로 23행은 24행에 걸린다고 생각할 수밖에 없다. 그런데 '대자대비하다'라는 형용사는 스스로 충족되어 있고 아무런 보조 어휘를 요구하지 않는다. 그러면 23행은 공중에 떠버린 시행인가. 나는 아니라고 생각한다. 김구용은 아마도 의식적으로 의식의 혼란을 가져오게끔 23행과 22행을 전도시켜버린 것일 것이다. 왜? 하고 그러면 물어보리라. 그러면 김구용은 대답할 것이다— '수줍은 사나이'의 의식이 전도되어 있지 않는가고. 이렇게 우리는 김구용의 이미지를 다루는 솜씨를 알아왔다. 그러면 왜 김구용은 이렇게 이미지를, 혹은 어휘를 다룰 수밖에 없었을까. 아마도 그 이유는 그가 낡고 닳아진 언어로써는 도저히 표현하지 못할, 언어 없이 경험된 어떤 의식의 질을 언어로써 표현하려 한 데 있었을 것이다. 사실 그만큼 「3곡」에서는 수줍은 사나이의 기나긴 독백이 흔들리고 엉클어져 있어 메마른 어휘로써는 도저히 그것, 그 의식의 경험을 언어 속에 이끌어들이기가 힘들게 되어 있다. 그리고, 행위가 언어 속에 들어오지 않는 한, 그것은 반드시 '시'로서는 실패하기 때문에, 김구용은 아마도 그렇게 해야만 했을 것이다. 그러면 이러한 언어의 틀을 통해 「3곡」에서 김구용이 말하려 한 것은 무엇이었을까.

모든 현명한 시평가詩評家들이 말하고 있듯이 시를 산문으로 표현한다는 것은 필연코 그 시에 대한 하나의 배반이 되고 말 것이다. 시는 행위를 언어 속에 이끌어들이고 그 속에서 녹이고 용해시키는 반면에 산문은 행위가 언어를 학대하고 이끌고 다니기 때문이다(딴사람들은 어떤지 모르지만 적어도 나에게는 시와 산문의 구별점이란 이것밖에 없다고 생각된다). 그런데도 항상 우리들은 시작한다. 발레리가 노래한 "끝없이 다시 시작되는 바다, 바다"처럼 우리도 항상 시를 산문으로 표현하려 한다. 그렇게 하여 우리는 행위의 껍질인 언어 속에 응결되어 있는 행위를 우리 것으로 하는 것이다. 「3곡」의 행위는 '술집'에서 시작된다. 수줍은 사나이 혼자 술을 마시는지 어쩌는지 알 수 없다. 다만 확실한 것은 수줍은 사나이와 술집 처녀, 두 사람이 거기에 '있다'는 사실이다.

> 누구나 앞뒤로 언덕을 거느리고
> 불안만큼씩 자라오르는 나무들
> 민요民謠는 식어드는데

시의 서두에서 우리는 이러한 시구에 부딪힌다. 이 시구에서 주목해야 할 것은 "민요는 식어드는데"라는 구절이라고 나는 생각한다. 이 구절과 2행의 '그런데'라는 부사를 상기하면

이 시의 행위가 벌어지고 있는 장소란 명백해진다.

그런데 술집 처녀는
손을 넣어보더니 웃는다.

이 시의 행위가 일어난 곳이 술집이라는 뜻에서 「3곡」은 다분히 한국적이다. 한국적인 의식의 갈등은 대부분 술집에서 토로되고 해결되기 때문이다. 「3곡」의 그 수줍은 사나이가 그러면 술에 취해 있었던가? 나는 모른다. 그 친구가 그것을 말하지 않았기 때문이다. 다만 그 수줍은 사나이는 더듬더듬 의식의 안벽에 부딪혀오는 섬광 같은 기억, 혹은 예감에 의해 '무엇인가'를 말하고 있다. 무엇인가를—확실히 그렇다. 그는 무엇인가를 말하고 있다. 거기서 그는 '무의미'에서 벗어나 '의미'를, 아마도 자기 존재의 의미를 찾으려 한다. 그리고 우리는 그가 말한, 그가 맥락 없고 혼란되게 토해놓은 언어 속에 응결한 행위를 통해 그의 존재에 조금씩 접근해갈 따름이다. 그러면 그의 생은 무엇이었던가. 아니 오히려 그의 삶의 크로놀로지는 어떠한 것이었는가—그것을 조심스러이 알아보기로 하자. 이 사나이의 성은 임씨任氏이고 시인이 말하는 바에 의하면 성질은 수줍은 편이다.

그것은 참으로 이상한 영역이었다.
그날 누가 나의 밤길을 막아서면서 말했다.

"오랜간만입니다."

그 사나이의 얼굴에 칼금이 있었다.

"누구시더라 ?"

"임任선생이시지요 ?"

"예, 그런데요."

이것으로 우리는 이 오랜 독백의 주인공이 임씨이며 얼굴에 '칼금' 이 가 있는 사나이임을 알게 된다. 그의 얼굴에 "칼금이 있었다" 는 것은 육체적인 것만은 아닌 듯하다. 171행에서 우리는 '칼금' 에 대한 시구를 엿볼 수 있다.

만지기만 해도 생기는 칼금

그는, 유리 너머로 부단히 내다본다.

만지기만 하여도 생기는 칼금은 육체적인 것이라기보다는 차리리 의식의 칼금이라는 것이 더욱 정확할는지 모른다. 더구나 그는 '우연을' 신앙하기 때문이다. 우연은 그의 의식의 칼금이 되고 그를 고문하지만 "고문은 아프지 않았다". 그의 아버지는 그리고 하관下關의 가난한 노동자이었다.

연기 속에서 음화音化하는 아침, 저녁

나의 아버지는 하관下關 부두의 노동자였다.

일본은 자기 나라가 아니었다. 타인들은 자기와 항상 거리를 갖고 자기를 바라보고 있다. 주인공은 그것을 뼈저리게 느끼고 있다. 그 주인공은 말한다.

언젠가 국사 시간에 선생은 말했다.
"조선 사람은 식인종이다."
안개 속으로 무꽃밭이 바라뵈는 운동장에서

일본 아이들은 나를 위로했다.
"넌 조선 사람이 아니란다."
아버지는 얼건히 취해서 돌아만 오면 말했다.

"平林よわ子하고 놀면 안 된다."
그럼 웬 심판인지 나는 코가 시고

나이가 어렸을 때부터 그는 타인들에게서 소외된다. 일본 아이들은 그를 '조선 아이'가 아니라고 위로하지만 그 위로 자체가 하나의 불만거리이다. 더구나 아버지는 "얼건히 취해서 돌아만 오면" 일본 계집애하고 놀지 말라고 말한다. 그는 여기서도 소외감을 느낀다. 일본인들 사이에서 그는 홀로 소외되어 있었고 아마 가정에서도 그러했을 것이다. 왜? 어머니의 추억이 도대체 그에게는 나타나지 않기 때문이다. 아마도 주인공이 '마담'이라고 부르는 여인이 그의 어머니인지 모른다(그리고

어떤 의미에선 그의 아내일 수도 있을 것이다). 그의 어머니는
그러면 출분한 것일까. 출분했다면 가난 때문인가, 성욕 때문
인가. 나는 모른다.

　　마담은 난로 곁에서 유지油紙를
　　뻗고 곶감을 만지며
　　억센 남자를 생각한다.
　　어머니가 떡장사이었다던
　　그 호색꾼은 지금 어디에 있을까.
　　어머니가 화재火災에 죽었다던
　　그 상습범은 지금 어디에 있을까.
　　그 후로 떡만은 안 먹는다던
　　그 거짓말쟁이의 참말은 무엇일까.
　　목욕만 한 마담은
　　모발 사이로 하품을 한다.

　이 마담이 그의 어머니라면 하관 부두의 노동자였던 그의
아버지의 사람됨은 더욱 뚜렷이 드러난다. 이러한 일본인들 사
이에서의 소외감(아마 平林よわ子와의 사귐은 그의 첫사랑이
었는지도 모른다)과 가정적 불안함에서 시달리다가 그는 나이
가 들자 곧 귀국한다. 그때까지 그러니까 그는 그 자신과 살기
보다는 자기의 그림자와 함께 살아온 셈이다.

나 홀로 생후 처음인
조국을 찾아왔을 때까지
나는 그림자와 함께 자랐다.

그리하여 그는 가난한 샐러리맨이 되었고, 그리고 "가벼운 월급 봉투는/아라비안 나이트"라고 가벼운 월급 봉투의 삶을 비웃고 있다. 그는 아주 '가난하게' 그의 생을 살아온 셈이다. 그럼 앞으로는? 앞으로에 관해선 나는 모른다. 그가 말하지 않았기 때문이다. 이렇게 「3곡」의 주인공의 외적인 크로놀로지를 우리는 꾸며볼 수 있다. 그러나, 사실상 「3곡」에 무게를 부여해주고 있는 것은 주인공의 이러한 외적 생활에 있는 것은 아니다. 그의 내적인 삶, 그의 부재에서 존재로 넘어오려는 그 부단한 노력에 「3곡」의 중요성은 있다.

얼른 보면 「3곡」은 한국적 상황—가령 빈곤이라든가 취직이라든가 하는 본질적이면서 중요한 사회적 상황에 대한 하나의 항거처럼 보인다.

예 13 | 구호품을 입은 어린이가 지저분한 지도에다 봉선화를 심는다.

예 14 | 월급쟁이들이 거울 속
　　　법정에 늘어서서 신체

검사를 받는다. 원숭이

상호의 의사가 얇은

가슴을 두드리며 권한다.

좀 집[家]에 손질을 하시지.

예 15 | 늙어가는 아내를 대할 때마다

그는 미소를 연습한다.

해가 바뀔 때마다 그는

밤중에 토정비결을 내어봤다.

그래도 너는 昇給이 안 된다.

그래도 그들은 貰房살이다.

그래도 나는 술을 끊지 않는다.

그래도 그는 오입 한번 못한다.

예 16 | 절도품을 팔다가 들키자

예 17 | 어느 날 순경이 와서 이웃집 사나이를 잡아갔지만

결국 그 원인도 식구가 좀 많은 탓이었지요.

도처에서 우리는 이러한 아주 소극적인 슬픈 한탄을 듣는
다. 그러나 「3곡」은 단순히 이러한 슬픈 한탄만은 아니다. 「3
곡」은 보다 본질적인 것―무의미에서 의미를 끌어내려는 인간
의 한 절망적인 노력이다. 그러나, 그것은 항상 실패한다.

그는 의미에서 출발하지만

나는 무의미로 돌아온다.

　그러면 왜 항상 실패할까? 아니 그것보다도 왜 그런 근본적인 의문이 제기되었는가? 그것은 두 가지의 방향에서 유추해볼 수 있을 것이다. 하나는 현대의 상황, 특히 "싫다는 사람에게/성인聖人이 되기를 강요하는" 전쟁, 죽음에서 우러나오는 불안이며 또 하나는 획일화된 인간 속에서 자기를 추출해낼 수 없다는 그 실존적인 불안이다. 이렇게 해서 문제는 제기된 셈이다.

　　예 18 | 절망에서 생겨나는 별

　　　　결코 연기煙氣를 잊지 않는 창조

　　　　아내여, 손을 잡게

　　　　전쟁은 예고가 없다

　　예 19 | 희죽희죽 웃는 5마일

　　　　일만 이천 봉의 골짝마다 별들이

　　　　우거지는데, 저승보다는

　　　　대동문大同門이 약간 더 멀었다.

　　예 20 | 열 개의 귀가 달린 사람

　　　　이백 개의 눈을 가진 사람

삼천 개의 입이 있는 사람

사만 개의 팔을 놀리는 사람

오억 개의 머리를 가진 사람

암만 봐야 분명한 나[我]다.

예 21 | 여자는 있으나 아내가 없는 남자

남자는 있으나 남편이 없는 여자

그들은 서로 절도한다, 더욱 고독히.

이렇게 그의 체험은 외적인 것과 내적인 것으로 뚜렷이 갈린다. 그리고, 이러한 두 가지 종류의 체험 사이에 친구의 죽음이 끼여 있다.

나는 친구가 왜 적인 여병女兵과

사랑을 했는지 이해할 수 없었다.

결국 그들이 잡혀온 황혼

'남길 말은 없는가.'

'우린 어렸을 때 소꿉동무였습니다.'

대답은 일제 사격이었다.

아마 여기서 그의 고뇌는 시작되었으리라. 그들을 쏜 총소리는 사실은 그의 "내벽을 뚫는 총소리" 였다. 그리하여 그는 이러한 무의미에서 의미를 찾아내기 위해 방황한다. 내부의 보석을 도난당한 시계에서 강물을 들으며, 거기서 그는 위안을 얻으려 한다. 위안이라기보다는 그 강물 소리에서 자기의 근원적인 모습을 발견하려고 그는 애를 쓴다. 그러한 것들은 "가까워질수록 서로 멀어진"다. 물론 그것은 분명히 나다.

시간은 자궁을 쌓아올린다.
그것은 그대가 아니고
바로 나[我]다.

그러나, 그 시간의 칼금 속으로 나는 뛰어들 수 없다. 나는 시간과 동시에 있지만 시간의 안에도 밖에도 있을 수 없다. 나는 무의미는 아니지만 그렇다고, 의미도 아니다. 그러나, 나는 의미를 구축하기 위해 노력한다. "우연을 신앙하지만 그러나 나는" "살아 있는 송장은 허무를 극복하며/꿈나라를 세우려 한다." "살아 있는 송장은 공포를 극복하며/사랑을 만"들려 한다. 그리하여 이 삶의 무의미와 나의 부정확함에서 나의 의미를 밝히려 한다. 그것은 진정한 나의 언어의 발견, 나만의 언어의 발견이다.

부러운 것이 없는 언어를 찾아
멀고도 가까운 곳을 밝혀야겠다.

그러나, 그러한 언어는 쉽사리 발견되지 않는다.

나는 고백한다, 부정확을.

나는 고백한다, 불완전을.

그러나 그러한 나를 근원적인 나로 되돌리지 않는다면 "나는 썩은 바위/숨쉬는 무감각"일 터이다. 그래서 이렇게 근원적인 나로 나를 돌리려는 노력, 무의미에서 의미를 찾으려는 노력, 시간의 안에 있으려는 노력은 바로 나이다. 그것은 탈존脫存이기 때문이다. 이것은 "참으로 이상한 영역"일 터이다. 그래서 주인공은 말한다.

지금과 언젠가가 나에게는 동시였다.

지금 내가 어디에 있는가

나는 누구일까

이 의문이 바로 나의 정체인 것이다.

분명히 이것이 나지만, 그러나 이것을 앎으로써 나는 근원적인 나에 도달할 수는 없다. 그것은 아직도 '자기 나름으로 해석할' 수 있는 나의 언어의 영역이기 때문이다. 진정으로 근원적 나에 이르기 위해서는 언어가 죽고, 무의미가 죽어야 하고, 근원적인 너와 합치되기 위해서는 나도 죽어야 하고 그리고 '공간을', 새로 태어날 공간을 만들어야 한다. 아니 내가 그 공간이어야 한다.

나는 어디에 묻혀도

다음을 기르는 공간,

씹[種]니다. 불[火]입니다.

　이러한 씨이며 불인 나는, 근원적 나에 도달하기 위해 근원
적인 너를 부른다. 근원적인 너는 「3곡」에서는 아마도 술집 처
녀일 터이다. 그들은 "부정否定을 부정하는 세계 일주"를 한
다. 그리고 "입과 눈을 잃"고 "쏟아져 나오는 노래를 감고/반
쪽각인 우리는 서로 몸부림친다." 그때 "허무는 보석"이 되고
"그는 괴로움을 멸시하고" "그녀는 슬픔을 비웃으며" "이인승
자전거를 타고 달린다". 그리고 그들은 죽어버린 '나'를 빌어
노래한다.

나는 누구의 손에

죽었는지 모르네

어떻든 구조되었네

향초香草에서 우유를 짜고

늘 그녀와 함께 노래부르네.

　이미 나는 그러므로 말을 하지 않는다. 마치 "물고기에 물
이 필요하듯이/나는 말을 하지 않는다". 나는 "껍질을 벗은"
알이며 나의 허무, 나의 비존非存, 나의 무의미에서 나는 근원
적인 나를 찾고 '구조'되었기 때문이다. 진정한 단 하나의 언

어는 발견된 것이다. 그것이 무엇인가고 당신은 물으려는가.
주인공은 대답하리라— "물고기에 물이 필요하듯/나는 말을
하지 않는다"고. 나에게서는 자체로서 모든 것이 충족되어 있
기 때문에. 그래서 주인공은 이렇게 노래하고 그의 오랜 독백
을 끝낸다.

　　잃어버린 보살이
　　이제 내 마음에 앉아 있네.
　　비행기에 실려 바다를
　　건너가는 보살의 미소.
　　거울이 미소하네
　　감사하지 않아도 좋을 정도로

　　이렇게 하여 비속한 시정市井의 한 술집 구석에서의 한 수
줍은 사나이의 독백은 햄릿적인 고뇌를 통해 구조救助의 시로
변모한다.

　　이것이 「3곡」의 전부라고 나는 말하고 싶다. 그러나, 나는
주저하고 당황하기까지 한다. 이것은 산문이고 「3곡」은 시이
기 때문이다. 시라는 점에서 「3곡」은 우리가 영구히 들어갈 수
없는 유리 저편에 응결된 행위이다. 우리는 다만 멀리서 바라
볼 수 있을 따름이지 그것을 확인할 도리는 없다.
　　「3곡」은 구조의 시이다. 그런 뜻에서 그것은 존재에 대한

하나의 태도이다. 그리고, 존재에 대한 망각 속에서 '거짓말'만 지껄여대고 있는 시들 중에서 존재와 구원을 말하고 있는 이 시는 확실히 읽을 만한 시이다. 그리고 아마 우리가 인간이며, 그래서 우리의 불안이 끝나지 않는 한 「3곡」은 거기에 대한 하나의 깊은 성찰이 될 수 있을 것이다. 그러면서도 우리는 「3곡」에 대해 만족을 느끼고, 해방감, 혹은 아리스토텔레스적인 용어로 카타르시스를 느끼지 못한다. 그것이 너무 혼란스럽기 때문일까? 아마 그럴는지도 모른다. 아니 그것보다도 「3곡」에서는 행위가 항상 언어를 뛰어넘으려 하고 있기 때문인지도 모른다. 「3곡」의 행위는 너무나도 강한 산문적인 압박을 우리에게 가한다. 아마도 김구용은 산문을 써야 옳았을는지 모른다. 그러한 행위들은 언어를 학대하기에 아주 적합하기 때문이다. 거의 같은 주제를 다루고 있는 송욱의 『해인연가海印戀歌』가 「3곡」보다 보다 더 시적으로 느껴지는 것은 그것의 행위가 항상 언어 속에 잠겨 있기 때문이다.

우리에게는 깊이의 시가 없는 것이 치명적이라고 나는 생각한다. 그것은 동양인의 사고가 분열을 모르기 때문인지 어쩐지 나는 모르지만, 다만 내가 아는 것은 분열을 통해서 인간은 성장하고 문학 역시 자란다는 그 사실뿐이다.

불이不二의 세계와 상생相生의 노래

김진수 | 문학 평론가

불이의 세계와 상생의 노래

자네에게 필요한 것은 버리고서 모든 것과 동질이 되는 일이다. (208)*

1.

인간 존재(주체)를 어떻게 규정할 것인가 하는 문제는 모든 철학적인 쟁점 가운데에서 가장 핵심적인 문제로 자리하고 있다. 그것은 삶과 세계에 관한 모든 성찰들의 뿌리를 이룬다. 말하자면 '나는 누구인가'라는 자기 동일성에 관한 질문이야말로 그 어떤 의문에도 앞서 존재하며 이 의문을 해결하지 않고는 도대체 삶과 세계와 타자에 대한 모든 질문들은 그 토대를 잃고 무의미해진다는 것이다. 그리하여 철학사의 시초에서부터 이 문제는 '뜨거운 감자'로 대두된다. "존재는 의미 없는 허구"라고 말하면서 유전流轉의 사상을 전파했던 헤라클레이토스의 사상을 축소시키고 "생각할 수 있는 것과 존재할 수 있는 것은 동일하다"는 파르메니데스의 존재 개념을 계승한 플라톤으로부터 유래하는 서구의 전통 형이상학은 인간 존재에 대한 규정을 의식 속에서 사고하는 능력, 즉 '이성logos' 속에서 발견한 바 있다. 이 형이상학에 의하면 자기 의식 속에서 '사유하는 존재'야말로 유일하게 인간이라는 본질에 합당한 존재가 된다. 이러한 존재와 사유의 동일성이라는 논리야말로 서구 철학사에 나타난 최초의 논리이자 이후 서양 형이상학의 역사를 결정짓는 논리이다.

이 논리가 주장하는 바에 따르면 '나'라는 주체는 의식이라는 빛이 구성하는 사유와 언어에 전적으로 의존하고 있는 '현전現前적 존재'가 된다. 그러나 의식과 존재의 동일성, 또는 사유와 존재의 동일성을 전제하고 나타나는 이 주체는 사유 바깥의 존재가 아니라 의식 속에 내면화된 존재일 뿐이기에 그것을 담아내는 사유와 의식은 자기의 바깥을 이해하지 못한다. 만일 저 사유와 의식의 빛을 넘어서는 어떤 것이 있다면 그것은 존재라기보다는 무 또는 비–존재라는 이름을 얻게 될 뿐이다. 이 형이상학의 기본 전제는 "존재하지 않는 것은 생각될 수 없다"는 원칙에 입각해 있다. 그것이 펼쳐내는 논리는 사유가 존재를 완전히 규정할 수 있다는 것을 가정하기 때문에 주체는 무엇이 외부에 존재하는가를 살펴보기 위해 바깥으로 눈을 돌릴 필요가 없고 또 관념에 들어오지 않는 외부의 그 어떤 것에도 구애받을 필요가 없게 된다. 다시 말하자면 그러한 논리에 따라 구성된 존재란 오로지 사유에 "현전"하는 존재일 뿐이라는 것이다.

서양 철학에서 순수한 사유 능력으로서 최상의 위치에 놓여졌던 이성은 바로 이러한 존재와 자아의 공속 관계를 보증해주는 징표가 된다. 말하자면 이성은 자아를 보호하기 위해 구성된 조작물에 지나지 않는 존재를 마치 객관적이고 절대적으로 타당한 최고 개념이나 실재인 양 간주함으로써 그것을 철학의 최종 심급으로 올려놓았던 것이다. 이러한 이성의 기만에 따라서 자아로부터 존재가 따라 나온다. 그리고 이 이성의 지반은 전적으로 언어에 있다. 왜냐하면 의식과 사유는 언어에 구속당할 수밖에 없기 때문이다. "의식적인 모든 사유는 언어의 도움 없이는 불가능하다"고 말한 것은 니체였던가? 형이상학에 있어서 언어의 한계는 곧 이성의 한계가 된다. 이렇게 이성에 의해 구성된 존재를 '나'라는 주체로 간주할 때, 이 세계는 나와 타자他者들이 공존하는 현실의 세계가 아니라 오로지 나의 사유 속에만 존재하는 관념의 세계, 즉 '나의 세계'가 된다. "이성 자체는 유아론적 구조를 갖추고 있다"는 레비나스의 지적은 이러한 사태의 핵심을 관통한다. 그러나 그에 따르면, 이성이 유아론적이라는 것은 그것이 결합하는 감각이 주관적 특성을 띠고 있기 때문이 아니라 오히려 그것의 보편성 때문에 그렇다. 다시 말해서 이성의 빛에는 한계가 없으므로 어떤 사물도 그것을 떠나 존재할 수 있는 가능성은 없다는 것이다. 이러한 이유 때문에 이성은 말을 건넬 또 다른 이성을 전혀 찾지 않는다. 그것은 세계 속에 오로지 홀로 존재할 뿐이다.

따라서 이 형이상학은, 세계는 의식의 언어로 말해질 수 있다고 한다. 달리 말해서 세계 속에 존재하는 모든 것은 의식의 빛 속에 거주하는 하나의 '눈'으로 포착될 수 있다는 것이다. 그리고 저 눈에 의해 포착되지 않는 것은 이 세계 속에 존재하지 않는 것으로 간주된다. 그런 의미에서 유아론적인 이성의 체계 속에서는 세계 속에 내가 존재하는 것이 아니라 오히려 세계가 내 속에 존재하는 것으로 전도된다고 할 수 있다. 저 이성이 만들어낸 절대적인 동일성의 세계 속에서는 특정한 비동일성들의 차이가 전적으로 하나의 인식 지평 속에서 무화되거나 융합되는 것으로 규정되면서 오로지 절대적인 자기 관련성만이 존재하게 된다. 이러한 동일성은 주체의 바깥에 있는 그무엇이 아니기 때문에 타자와 아무런 관련도 맺지 않는다. 동일성이란 모든 비동일적인 것들의 완전하고도 절대적인 일치를 말하며 비동일적인 것들이 구성하는 일체의 것에 대한 지양을 의미한다. 이 절대적 동일성 속으로 수렴되지 않는 세계나타자는 무이며, 그러한 무는 더 이상 존재하지 않는 것으로 상정된다. 그러니, 우리는 다음과 같이 물어야겠다. 과연 내 바깥에는 아무것도 존재하지 않는 것일까? 자신의 바깥을 무無라고 간주하는 이 의식이 과연 나일까? 그렇다면, 진실로 나는 누구인가?

2.

무려 300여 쪽에 이르는 김구용 시인의 장시 「구곡九曲」을 이끄는 핵심적인 모티프는 "나는 누구인가"라는 질문으로부터 출발하여 '나'를 찾아가는 험난한 정신적 여정이라고 말할 수있다. 그것은 시간의 풍화를 겪으며 천변만화하는 무상한 자아를 벗어나 '참된 나'를 발견하기 위한 정신적 구도의 도정을 노래한 시이다. 「구곡」은 저 구도의 과정에서 넘어야 했던 아홉[九] 개의 험한 언덕과 굽은[曲] 모퉁이를 의미할 수도 있다. 그것은 천신만고 끝 저 굽이진 모퉁이를 하나씩 돌아설 때마다 얻은 아홉[九] 개의 깨달음의 노래[曲]이다. 물론 여기에서 아홉이라는 숫자는 이 구도의 역정이 얼마나 가파르고 지난한 것인가를 말해주는 하나의 상징에 지나지 않는다. 보다 주목해야 할 것은 이 참된 자아 찾기의 여로가 불교적 정신의 영향 아래 있는 것처럼 보인다는 사실이다. 왜냐하면 시인은 참된 나를 찾아가는 이 도정을 깨달음의 과정이라고 간주하기 때문이다. 시에 등장하는 노승, 불두화, 영산회상, 우담바라화, 사월초파일 등의 단편적인 어휘는 이러한 영향의 작은 편린들일 뿐이다. 「구곡」은 저 불교적인 깨달음을 향해 머나먼 구도의 길을 나선 정신적 편력의 기록으로 자리한다. 시인은 그러한 자신의 작업에 대해 이미 다음과 같이 언급한 바 있다.

나는 나를 찾아다녔다.
모르는 것을 주십시오.
아마 그것은 아름답고 그래야만
나는 깨달을 것입니다. (150)

존재의 무상함은 인류의 위대한 스승들에 의해 거듭 역설되어온 바지만, 인간 사고의 완고함과 편협함으로 인해 그러한 가르침에 대한 체화는 의식하며 사는 인간의 삶 속에 그리 깊이 뿌리를 내리지 못한 것 같다. 왜냐하면 의식 속에 현전하는 '나'라는 존재는 도대체 자신 이외의 세계가 따로 존재한다는 것을 도저히 받아들일 수 없는 것처럼 보이기 때문이다. 아니, 차라리 자아란 '이 세계는 나의 세계'라고 의식하는 바로 그것이라고 말하는 편이 옳을지도 모른다. 그러한 자아는 세계나 타자로부터 어떠한 도움도 필요로 하지 않을 뿐만 아니라 또한 도움을 빌릴 수도 없다. 왜냐하면 자아에게 있어서 세계는 자아 바깥에 따로 존재하지 않고 타자는 오직 자아의 의식 속에만 존재할 뿐이기 때문이다. 그리하여 "도움도 빌릴 수 없는 곳/자아는 나와 함께 있다"(11)는 진술이 등장하는 것이다. 그러나 곧이어 시인은 저 유아론적인 자아 존재가

    지나가는 일 초와
    맞이하는 일 초 사이의
    자아 (15)

에 불과하다고 노래한다. 자아는 세계와의 일체성으로부터 분리되어 차별화된 자신을 '나'라는 존재가 잠시 빌려 들어선 하나의 일시적인 무대, 존재하는 것들의 순간적인 욕망의 풍경에 지나지 않는다는 것을 알지 못한다. 이 찰나적인 존재의 무상함을 보지 못하는, 관념의 존재에 불과한 자아는 자신이 마주하고 있는 전세계가 자신의 것이라는 환상을 지닌다. 그러나

그러한 "나는 진정한 가짜이다"(234). 말하자면 사유에 의해 구성된 저 자아는 하나의 허상, 즉 '가면'이라는 것이다. 그러나 이 "가면은 언제나 아름답다"(14). 왜냐하면 이러한 허상의 존재는 세계를 자신이 온전히 소유하고 있다는 전능성全能性을 그 특징으로 지니고 있기 때문이다. 그러한 배타적인 진리 속에서 순간은 영원과, 자아는 자체와 분리되어 있다. 이 유아론적인 가짜 존재의 모습은 마치 자신의 그림자에 놀란 '쥐'의 모습과 흡사하다. 그것은 전능하긴 하지만 그 전능함으로 인해 세계 속에 홀로 존재하는 고독한 자아의 초상이다.

쥐는 실내에 부풀어오르는

제 그림자에 포위되어

구멍을 찾아 미쳐 날뛴다. (20)

'구멍'이라고? 그렇다, 이 구멍으로 인해 존재에게는 이제 하나의 새로운 탈출구가 열린 셈이다. 말하자면 이 구멍은 이제까지는 자아에게 속하지 않았던, 그러나 필연적으로 그것의 본질적인 한 구성 성분이었던 타자 존재의 출현을 가져오는 계기가 될 수도 있다는 것이다. "존재는 한 부분에 지나지 않으며/죽음도 한 부분에 불과하였다"(94)는 시인의 말씀은 바로 이러한 사태를 상술하는 것으로 보인다. 존재가 한 부분에 지나지 않는다는 것은 '존재 자체'로부터 떨어져 나온 자아란 전체가 아니라 반쪽에 불과하다는 선언이다. 이 자아의 존재가 전혀 알 수도 없고 소유할 수도 없는 세계의 나머지 반쪽 부분이 죽음이다. 그런 의미에서 이 죽음은 존재의 타자이다. 존재는 그것과 동거할 수 없다. 단적으로 말해서 자아라는 존재는 죽음을 배제하고 추방한 대가로서만 스스로의 존립을 확보할 수 있었던 것이다. '존재 자체'의 관점에서 보자면 자아와 대립하고 있는 죽음 역시도 반쪽에 지나지 않는다. 왜냐하면 그 역시 자아라는 환상이 꾸며낸 것이기 때문이다. 이처럼 유아론적인 자아 개념에서 도출된 '존재'나 '죽음'은 모두 환상이다. 그것들은 다만 '존재 자체'의 한 부분이었을 뿐이다. 그리하여 이제 자아에게는 몇 개의 겹과 층들이 생겨나게 된다.

사람마다가 그 말을

다 다르게 풀이한다면

그것이 바로 정확한 나[我]다. (125~126)

말하자면 "나 외에도/나는 어디에나 있었다"(195)는 것이다. 그러나 자기 바깥을 알지 못하는 유아론적인 이성의 관점에서 보자면 나는 '지금 여기'에 존재할 뿐이다. 그런 의미에서 이 자아는 무엇보다도 '맹목盲目의 눈眼'이다. 그러나 이 눈은 자아에게 있어서 세계 속에 존재하는 유일한 빛이 된다. 이 눈으로 인해 세계가 자아에게 표상되긴 하지만, 자아는 자신의 빛 속에서 표상된 세계나 타자를 자신의 눈이 만들어낸 세계로 받아들인다. 자아라는 이러한 '눈 먼 눈'이 지어낸 삶은, "한평생은 어려운 일이다"(24). 왜냐하면 이 환상으로부터, 불교적으로 말하자면, 생로병사의 사고가 생겨나기 때문이다. 물론 '사유하는 존재' 로서의 자아는 저 빛과 눈의 바깥에 있는 세계나 사태를 감히 상정할 수 없는 법이다. 그에게는 자기 그림자의 포위망을 벗어날 수 있는 '구멍' 은 존재하지 않는다. 세계를 소유하고 있다고 확신하는 자아의 전능함이란 오로지 자신의 빛으로만 소유할 수 있는 세계를 소유할 수 있을 뿐인 편협함의 다른 이름이다. 이처럼 사유와 언어로 구성된 자아를 자신이라고 인식하는 저 자아는 편협한 환상의 부산물이다. 달리 말해서 그것은 오직 "의식하는 무의식"(15)일 뿐이다. 그러니 "나를 생각으로 재는[尺] 짓은 헛수고"(142)라는 말이다.

    당신의 생각은 나의 생각은
    분명 중요하지 않다.
    중요한 것은 보기만 하며
    스스로를 못 보는 눈[眼] 안에 있었다. (203)

    저 의식의 빛으로 구성된 자아는 언제나 '현재' 라는 순간만을 소유한다. 존재자의 출현이라는 '홀로서기의 사건' 을 가리켜 "이것은 현재" 라고 말했던 한 철학자의 언급이 그 점을 지시한다. 거기에서 자아는 자체로부터, 순간은 영원으로부터 소외된다. 그렇기에, 역으로 시인은 "나를 벗어날 수 있음은/ 언제나 지금인 것이다"(16)라고 노래한다. '나를 벗어날 수 있음', 그것은 환상을 지어내는 자아라는 맹목의 눈을 뜨게 하는 일일 것이다. 그 눈은 현상과 현재에 현혹되어 자아로 하여금 자성自性을 보지 못하게 하는 장애물이기에 말이다. 시인은 "눈은 책을 오독誤讀하는 버릇이 있"(212)다고 화답한다. 이처럼 자아가 한편으로 눈이라면, 다른 한편으로 그것은 언어이다. 언어는 언제나 의식과 사유를 구성하는 수단으로서만 존재하기 때문에 차별화된 세계만을 드러낼 수 있을 뿐이다. 그것은 철저한 분별의 세계, 즉 차별화를 토대로 해서만 가능한 체계이다. 그러나 언어에 의한 이러한 분별을 만들어내는 것 역시 자아라는 의식의 활동일 뿐이다. 의식하는 존재로서의 자아가 이미 하나의 눈에 의한 환상이듯이, 이 언어화된 세계 역시 자아에 의한 환상에 불과하다. 다시 말해 눈과 언어에 의한 세계의 차별화란 자아에 의한 세계의 대상화 작용에 불과하다는 것이다. 눈과 언어는 공통적으로 세계나 타자의 존재를 구분하여.차별화하는 자아의 활동을 극명하게 드러내는 상징이 된다. 이러한 차별화가 없다면 자아는 무차별의 상태 속에서 자신의 존립 근거를 상실하게 될 것이다. 그러나 시인의 말씀대로 "중요한 것은 말이 아니다"(244).

평화에 평화라는 낱말은 사라진다.
자유는 자유라는 뜻을 모른다. (238)

3.

「구곡」은 사유와 언어에 의해서 구성된 자아에 의한 세계나 타자의 차별화를 벗어나 나와 세계가 일체가 된 상태, 말하자면 어떤 무차별적인 상태를 추구한다. 시인은 그러한 자리를 일러 '본바탕'이라고 말한다. 그것은 눈과 언어에 의한 차별화가 사라진 곳에 자리하는 어떤 장소이다. 시인에게 있어서 이 본바탕의 자리에 위치하고 있는 어떤 상태는 '자체'라는 표현을 얻고 있다. 그것은 유아론적인 자아의 저편에 자리하는 '참된 자아', 또는 불교적인 용어로 말하자면 진여眞如의 자리에 있는 그 어떤 상태를 말하는 것이다. 이 '자체'의 모습은 아직 우리의 의식에는, 그리하여 우리의 언어로는 알려져 있지 않다. "그는 언어가 시작하기 전에서 움직인다/그는 언어가 끝난 곳에서 노래한다"(23). 이 '자체'의 자리는 순간이 영원과 다르지 않은, 즉 "천만겁千萬劫이 일순一瞬"이자 "일순一瞬이 영생"(226)인 자리이며, 자아가 그것으로부터 소외되지 않는 상태이다.

> 본바탕으로 들어서야
> 도덕과 철면피와
> 영광과 서약誓約에서 벗어나
> 움직이는 화원花園에서
> 서로는 상대로부터

338

'자체' 와 만날 텐데. (25)

　　그러니 이 '자체'는 온갖 상대적인 것들로부터 벗어나 온
전히 절대적인 자신의 본바탕으로 회귀한 자리에서나 만날 수
있는 어떤 것이겠다. 말하자면 그것은 눈과 언어에 의한 자아
라는 환상이 사라진 자리에서나 만남이 가능한 어떤 상태라는
것이다. 여기에서 '참된 자아'와 '자체'와 '본바탕'은 의식과
자아와 가면의 타자이다. 그러나 눈과 언어에 의해 차별화된
세계 속에서 일체의 것이 자아의 동일성으로 수렴되는 것과는
달리, 자아의 타자로서의 자체는 자아의 동일성으로 수렴될 수
없는 타자이다. 그런 의미에서 이러한 타자만이 그 이름에 진
실로 합당한 타자라고 말할 수 있다. 왜냐하면 자아로 환원될
수 있는 타자는 이미 타자가 아니기 때문이다. 이렇게 '자체'
를 찾아 떠난 '자아'의 여정을 일러 시인은 "손을 시간에 찔러
넣어/미지未知를 잡아/본질에 접근하는 과정"(19)이라고 설명
한다. 불교에서는 이 과정을 자성自性에 대한 깨우침의 도정이
라고 말하는 듯하다. 이 "자성은 항상 밝지만"(43) 티끌이나 먼
지가 끼인 맹목의 눈은 그것을 보지 못한다. 이 '참된 자아'의
발견은 「구곡」에서 "개안開眼"(24)이라는 외투를 걸치고 있다.
이 '새로운 눈뜨기'의 과정은 세속적인, 말하자면 유아론적인
상태에 머물러 온갖 차별을 만들어내는 저 맹목의 눈을 희생할
것을 요구한다. 이 개안의 목적은 자아와 세계의 절대적인 무
차별성을 깨우친 상태, 즉 해탈일 것이다. 시인은 이 상태를 획

득하기 위해서는 일체의 관심關心으로부터 떠나서 자신의 마음을 조용히 들여다보는 관심觀心이 필요하다고 말한다.

  그는 좀더 관심觀心을
  확인하기 위해서
  관심關心에서 물러선다.
  바다 고기가
  그물 밖으로 넘어가듯이
  높이 떠서 굽어보면
  문제는 물에 비끌어매여 있어도
  쇠사슬은 그림자에 무능하였다. (199)

이러한 관심關心을 떠난 '무관심無關心적 관심觀心'으로부터 스스로의 마음, 즉 맑은 자성을 들여다볼 때 자아를 고통스럽게 옭아매고 있던 차별의 쇠사슬은 마치 그림자를 묶고 있는 쇠사슬에 지나지 않게 될 것이다. 말하자면 개안이란 눈과 언어에 의한 차별화의 환상을 지워버린 깨달음의 과정을 의미한다고 할 것이다. 이 열려진 눈은 "자기 눈을 보는 눈" (161)이다. 그것은 "눈을 감아도 보이" (249)는 눈이며 "사실은 없는 가치를 보는 눈" (287)이다. 이 열려진 눈이 보는 세계에서 자아는 자체와 조우하고 찰나는 영겁과 포개진다. 시인이 다음과 같이 노래할 때, 이제 저 '나'는 순간이자 영원 속에 동시에 존재하는 '참된 나'가 된다. 역으로, 그러한 '나'에게 있어서 이전과 이후는, 자아와 자체는 둘이 아니다.

　시간 이전에도
　시간 이후에도
　나는 있었다. (232)

　그렇다면 '자체'라는 것은 이미 '자아'의 본바탕 속에 존재하고 있었던 것이라고 해야겠다. 자아는 스스로를 차별화하는 맹목의 눈 때문에 그러한 자신의 본바탕을 미처 들여다볼 수 없었을 뿐이다. 그러니 '자아'가 '자체'를 찾아서 무엇을 기다리거나 어떤 새로운 것을 찾아 떠날 필요는 애초에 없었던 셈이다. 시인은 그러한 사태를 다음과 같이 노래한다. "무엇을 기다리는가/이미 있는 것을"(37)! 그렇다, '자체'를 향한 '자아'의 도정은 오로지 '자아'의 '눈뜨기' 과정이었던 것이다. 자아는 이제 자신 속에서, 그 본바탕에서 자체를 찾지 않고서는 세계의 어느 곳에서도 그것을 찾아낼 수 없을 것이다. 이 시집에서 이러한 본바탕의 모습은 '돌'이라는 구체적인 물질의 이미지로 등장한다. "천년도 일순인 돌"(206)은 시간과 언어의 구속을 넘어 현상에 구애받지 않고 편재하는 '존재 자체'의 상징이 된다. 더 나아가 이러한 돌의 이미지는 시인에게 있어 "보살의 미소"(237)를 환기시킨다. 「구곡」에서 이 '보살의 미소'는 유년 시절의 고향이나 어머니와 일체화된 상태의 은유이다. 정확히 말하자면 "고향은 이제 없는/내 어머님의 가슴"

(227)이라는 것이다. 그러므로 저러한 개안의 상태에서 자아가
자신의 밑바탕에서 보게 되는 것은 '엄마의 얼굴'인 것이다.

> 온 세상이 엄마의 얼굴일세.
> 세상에 없는 엄마의 얼굴일세. (99)

어머니는 또한, 관념의 층위에서 말하자면, '조선 자기'로
상징되는 어떤 소박하고도 자연스러운 상태를 의미하기도 한
다. 왜냐하면 시인에게 있어서 어머니는 조선 백자(243)와 분리
될 수 없기 때문이다. 이 시집의 서두를 여는 제1곡의 첫 행, 즉
"조선 자기磁器를 눈[眼]으로 쓰다듬으면/어머님의 검버섯 핀
손이었네"(11)라는 표현은 이미 이 시의 행로를 밝혀주고 있었
던 셈이다. 시인의 '참된 자아' 찾기의 여정은 바로 유년의 고
향과 어머니를 향한, 조선 자기의 소박함과 자연성을 향한 도
정이었던 것이다. '어머님의 가슴'이야말로 바로 시인의 자아
찾기가 도달한 최종 목적지였던 셈이다. 그러나 그 세계는 현
실 속에서는 이미 상실된 세계, 다시 말해 "바퀴 자국"(186)으로
서 흔적으로만 남아 있는 세계이다. 이 고향과 어머니의 세계
는, 불교적인 용어로 말하자면, 불이不二의 세계이다. 말하자면
그것은 분별지 버린 개안을 통해서만, 무차별의 진리에 대한
깨달음을 통해서만 도달할 수 있는 세계라는 것이다. 이러한
관점에서 시인은 "삶과 죽음은 다르지 않았"(199)다고 말하는
것이다. 그렇다면 너와 나 역시 다를 리가 있겠는가?

출발과 도착은 다르지 않다
흐름은 어디서나
강이듯이
너와 나는 다르지 않다. (217)

4.

눈과 언어가 꾸며낸 자아에 의한 세계의 대상화 작용이 역사적
으로나 사회적으로 집단화된 꼴을 시인은 문명이라고 하는 것
같다. 이 시집에서 네온사인과 기계와 건축 공사장과 감옥으로
이루어진 저 문명은 '자체'인 고향과 자연으로부터 소외된 세
계를 의미한다. 「구곡」은 이처럼 '자체'로부터 자아가 소외된
세계, 말하자면 문명 세계의 누추함과 빈곤한 풍경을 비판적으
로 노래한다. 저 무상한 자아와 그것의 사회, 역사적인 모습으
로서의 병든 문명에 대한 비판적 시선이 「구곡」의 한 측면을
이룬다. 저 문명 세계는 단적으로 말해, '포만'과 "수면과 권태
가 어디서나/유리 한 장으로 내외內外하"(86)는 세계이다. "각
광을 받고도/(중략) 체온이 없"(104)는 이 세계는 성과 속, 선과
악이 혼재되어 가치가 전도된 곳으로서 "성聖스러운 천치天痴
의 윤곽을/뒤집어쓴 백치白痴의 얼굴"(74)을 구비하고 있는 세
계이다. 단적으로 말해 그것은 병든 세계라는 말이다. 시인은
"가면과 계산의 문명을/계율에 갇힌 다혈증의 복음을"(40) 넘

어 그 본바탕에서 자연과 자유의 회복을 꿈꾼다. 그러한 자아
와 문명의 병을 치유할 수 있는 장소가 '요양소'이다.

우리의 꿈은
문명병文明病 환자들의 요양소였다. (250)

이 요양소야말로 아마도 자아가 자체와, 문명이 자연과 구
별되지 않는 절대적 무차별성의 세계를 상징하는 것이리라.
「구곡」에서 이러한 절대적인 무차별성의 세계에 대한 '눈뜨
기'는 세계에 대한 존중과 타자에 대한 사랑의 다른 이름이 된
다. 이 사랑은 저 사유하는 의식으로서의 자아가 더 이상 볼 수
없고 말할 수도 없는 '자체'의 세계를 구성하는 제일의 원리
가 된다. 달리 말해서 자아의 본바탕에 자리하고 있는 밝은 자
성으로서의 '자체'의 상태는 이 사랑의 원리에 의해 나남이
서로를 '상생相生'시키는 세계라는 것이다. 왜냐하면 사랑이
란 창조와 생성의 원리 이외의 다른 것이 아니기 때문이다. 자
아의 관점에서 보자면 그것은 아직은 이 지상에 존재하지 않는
"부재의 시"(169)로 존재한다. 그러나 동시에 '자체'의 관점에
서 보자면 "그는 기존의 노래/찾기 전에 와서 있었"(37)던, 이
미 오래도록 존재해온 노래이다. 그렇다면 "제 그림자에 포위
되어" "미처 날뛰"던 저 '쥐'의 꼴을 하고 있는 고독한 자아에
게 이제 진짜 '구멍'이 하나 생긴 셈이다. 그 구멍을 통해 사랑
이라는 이름의 빛의 스며든다. 그러나 이 빛은 사유와 언어에

구속된 자아라는 환상이 꾸며낸 관념의 빛이 아니라 저 구멍 바깥으로부터 비쳐드는 현실의 빛이다. 그리하여 이제「구곡」에서 가장 빛나고 감동적인 장면을 연출하고 있는 구절들이 등장하게 된다. 그것은 사랑에 의해 서로가 서로를 기다리며 도움을 주고받는, '구멍' 바깥의 아름다운 풍경들을 노래하는 '상생'의 시이다. 비록 사랑의 공간이 하나의 "작은 터전"(288)에 지나지 않을지는 몰라도 그곳은 진실로 나남이 차별 없이 어우러져 서로가 서로에게 따스한 빛이 되는 공간이다. 그곳이야말로 바로 시인이 당도하고자 했던 고향과 어머니의 세계가 아니겠는가?

> 우리가 기다리는 일은
> 우리를 기다리는 일이다. (258)

> 아내여, 자기 손이 닿지 않는
> 등[背]의 일부분은
> 서로를 필요로 하는 도움,
> 그 작은 터전이 우리인 것이다. (288)

'우리는 우리를 기다린다'라는 문장의 시적 수사인 앞의 구절은「구곡」의 주제를 포괄하고 있다. 여기에서 주어로 사용되는 '우리'는 나와 너의 구별이 있는, 자아라는 의식에 의해 타자와 차별화된 상태의 우리일 것이고, 목적어로 사용되는

'우리'는 그러한 차별을 넘어선 절대적으로 무차별한 상태의 우리일 것이다. 그러니, 그것을 달리 말하자면, '나는 나(너)를 기다린다'라는 것이다. 주어의 나와 목적어의 '나(너)'가 만날 수 있는 '작은 터전'을 지시하고 있는 것이 뒤의 인용문이다. 저 "자기 손이 닿지 않는 등의 일부분"이야말로 자아가 타자와 만나는 공간인 것이다. 자아로서는 그곳 역시도 자신의 일부분이라고 생각하겠지만, 그러나 이 생각이 공간을 소유할 수 있는 것은 아니다. 그곳은 내 눈과 손이 닿지 않는, 그리하여 타자의 눈과 손이 필요한 '나 바깥의 나'의 공간이다. 그리하여 그곳은 수면과 권태가 "유리 한 장으로 내외內外하"(86)는 그러한 나남의 구별을 허물어뜨리는 장소가 된다.

내외여,
안 보이는 데를 긁어주는
못 보는 곳에 약을 바르는
그녀의 손은
그의 눈[眼]이로세. (292)

'나 바깥의 나'의 공간, 그곳은 너의 '손'이 나의 '눈'이 되는 공간이다. 그러한 '작은 터전'으로 인해 나는 더 이상 내가 아니고 너는 더 이상 네가 아니다. 아, 그러니, 이제야 알 것 같다. 저 사랑의 길은 내가 '나' 바깥으로 나가야 하는 멀고 험한 길이지만 찾아나서지 않으면 안 되는 길인 것이다. 그것은 아직은 당도하지 않았지만 그렇다고 도달할 수 없는 것도 아닌 길이다. "언제나 만족하기는 아직 이르며/언제나 절망하기는 너무 빠르다"(43).「구곡」에 있어서 저 불이의 세계, 말하자면 고향과 어머니의 세계는 만물이 상생하는 세계이다. 불이와 상생의 세계는 나와 너가, 서로가 서로를 기리고 기다리는 사랑이라는 이름의 외피였던 셈이다. 이러한 사랑 속에서 눈은 더 이상 나의 눈이 아니라 타자의 손으로 변화된다. 저 구도의 역정 종국에서 시인이 발견한 것은 서로가 서로에게 눈과 손이 되어주는 것, 서로가 서로를 기다리고 돕는 일이었던 것이다. 자신을 "버리고서 모든 것과/동질이 되는 일"(208)이다. 그러할 때 나와 너의 구별은 더 이상 가능하지 않다. "장벽은 원래가 없었던 것이다"(290).

그래서 우리는 한 몸이다. (288)

1922. 2. 5.(음력)	경상북도 상주군尙州群 모동면牟東面 수봉리壽峰里에서 부父 김창석金昌錫, 모母 이병李炳의 6남 1녀 중 4남으로 출생.
1925	몸이 허약한 구용은 철원군 월정 역에서 멀지 않은 어느 마을에서 유모 싸마와 그 해 겨울을 보내다. 싸마는 일찍이 그의 탯줄을 잘라낸 안노인이다.
1926~1930	금강산 마하연에서 싸마와 함께 불보살님께 지심정례至心頂禮를 드리기 시작하다.
1931	경남 대구 복명보통학교에 입학. 그 해 다시 철원군 보개산 심원사 지장암에서 병 치료를 위해 요양하다.
1932	서울 창신보통학교에 2학년으로 전학, 5학년까지 수학.
1936	수원 신풍보통학교 6학년으로 전학.
1937	서울 보성고등보통학교에 입학.
1938	금강산 마하연에서 다시 병 치료를 위해 요양.
1939	충남 공주公州 집에서 부친 세상 떠나다.
1940~1962	부친 대상大喪을 마치고 공주군 동학사東鶴寺에서 일제 시대의 징병, 징용을 피해 은둔, 독서와 습작을 계속하다. 이후 동학사에 수시로 기거하면서 경전 및 수많은 동서 고전을 섭렵하고, 시작詩作에 깊은 관심을 보였으며, 한편으론 동양 고전 번역에 관심을 갖게 되다.
1949	『신천지新天地』에 시 「산중야山中夜」, 「백탑송白

塔頌」 발표. 성균관대학교 입학.

1950	6·25 발발, 전쟁의 와중에 비명횡사를 면하고 구사일생하였으나 천애 고아가 되다. 시인의 '부산 시절' 이 시작되다.
1951	부산에서 『사랑의 세계』지 기자.
1952~1954	부산 상명여자중고등학교 교사.
1953	성균관대학교 국문과 졸업.
1955~1956	『현대 문학』지 기자. 육군사관학교 시간 강사. 현대 문학 신인 문학상 수상.
1956~1987	성균관대학교 문과대학 강사, 조교수, 부교수, 교수 역임.
1956~1973	서라벌예술대학교 강사.
1957~1958	건국대학교 강사.
1958~1959	숙명여자대학교 강사.
1958~1961	숙명여자중고등학교 강사.
1960	능성綾城 구具씨와 결혼.
1960~1961	성균관대학교 성대신문 주간.
1962	동학東鶴 산방山房을 떠나 책들과 짐을 서울 성북동 집으로 옮기다.
1987	성균관대학교 정년 퇴임.

저서

1969	시집 『시집詩集·Ⅰ』 삼애사三愛社
1976	시집 『시詩』 조광출판사朝光出版社
1978	장시 『구곡九曲』 어문각語文閣
1982	연작시 『송頌 백팔百八』 정법문화사正法文化社

번역서

김구용

1922년 생. 시인이자 한문학자.
육군사관학교 강사, 서라벌예술대학 강사, 건국대학교 강사, 숙명여대 강사를 지냈으며 1956년부터 1987년 정년 퇴임할 때까지 성균관대학교 교수로 재직했다. 저서로는 『송 백팔』(1982), 『구곡』(1978), 『시』(1976), 『시집1』(1969), 역서로는 『(동주) 열국지』(1990, 1995), 『삼국지』(1981), 『수호전』(1981), 『노자』(1979), 『(완역) 열국지』(1964), 『옥루몽』(1956, 1966), 『채근담』(1955)과 편서 『구운몽』(1962)이 있으며, 일기 형식으로 기록한 다수의 수필이 있다.

九曲

김구용 문학 전집 2———구곡

1판 1쇄 2000년 6월 5일
지은이 —— 김구용
펴낸이 —— 임양묵
펴낸곳 —— 솔출판사
책임 편집자 —— 임우기
부편집자 —— 김소원
북디자인 —— 안지미
제작 —— 장은성
인쇄 —— 제형문화사
제본 —— 성문제책사

서울시 마포구 서교동 342-8
전화 332-1526~8 팩스 332-1529
출판 등록 1990년 9월 15일 제10-420호
ⓒ 김구용, 2000
ISBN 89-8133-356-4 04810(세트)   89-8133-358-0 04810